SE 07

Curso

MAD360

...a entre aprobar
y sacar plaza

Cuerpo Técnico de Gestión de Servicios Socioculturales y a la Comunidad

Escala Técnica en Gestión en Educación Infantil

GENERALITAT VALENCIANA

Si aún no dispones de tu **Curso MAD360**, te ofrecemos un acceso GRATIS de 30 días para que disfrutes de los siguientes recursos:

- Técnicas de Memoria 360.
- MADTEST: Test *online* Nivel PRO.
- Temario en formato digital.
- Planificación de estudio.
- Foro entre opositores hasta la fecha del examen.*
- Recursos y novedades exclusivas.
- Consúltanos sobre tu oposición y proceso selectivo.
- Actualizaciones legislativas (Boletines Oficiales) hasta 60 días antes de la fecha del examen.*

Para acceder a esta prueba del Curso MAD360** será necesaria la compra de todos los libros para esta especialidad de la edición 2026.

Regístrate en **mad.es/iniciar-sesion** y, en la pestaña **MIS CURSOS**, valida los códigos que encontrarás en la última página de tus libros. Recuerda que dispones de un plazo de **45 días desde la fecha de compra** para realizar la validación. Si no verificas tu matrícula, el periodo de uso del curso comenzará a contar aunque no hayas accedido.

NOTA IMPORTANTE:

* Examen de esta categoría profesional correspondiente a la convocatoria publicada en el DOGV núm. 10321, de 12 de marzo de 2026, o hasta el 30 de abril de 2027, lo que se cumpla antes, y previa renovación del servicio.

** El acceso al CURSO MAD360 estará disponible desde abril de 2026 (algunos recursos podrían estar disponibles en fecha posterior). Tendrá una duración de 30 días RENOVABLES mediante pago, desde la validación de códigos, o hasta el 31 de octubre de 2027, lo que se cumpla antes.

MAD se reserva el derecho a ampliar dichas fechas.

Cuerpo Técnico de Gestión de Servicios Socioculturales y a la Comunidad de la Generalitat Valenciana

Escala Técnica en Gestión en Educación Infantil (B-06-01)

Cuerpo Técnico de Gestión de Servicios Socioculturales y a la Comunidad de la Generalitat Valenciana

Escala Técnica en Gestión en Educación Infantil (B-06-01)

Test del Temario

Autores

FRANCISCO JESÚS TORRES FONSECA
Licenciado en Derecho

JOSÉ ANTONIO GUERRERO ARROYO
Cuerpo Superior de Letrados
Cuerpo Superior Jurídico de la Junta de Comunidades

LIDIA PONCE MARTÍNEZ
Licenciada en Psicología

TERESA MARÍA TORRES FONSECA
Licenciada en Derecho

ROCÍO CLAVIJO GAMERO
Licenciada en Psicología

M.ª DOLORES RIBES ANTUÑA
Profesora de Oposiciones al Cuerpo de Maestros de Enseñanza Primaria
(Educación Infantil, Educación Especial, Audición y Lenguaje)
Profesora de Oposiciones de Secundaria

ANA M.ª CERVERA SÁNCHEZ
Doctora en Historia Contemporánea

Primera edición, abril 2026 (254 páginas)

IMPRESO EN ESPAÑA
Diseño Portada: 7 Editores
Edita: 7 Editores
Avda. San Francisco Javier, 9 · Edificio Sevilla 2 · Planta 11 · Módulos 25-27 · 41018 Sevilla
Teléfono: 954 784 411 · WEB: www.mad.es · e-mail: administracion@7editores.com
ISBN: 979-13-702-8778-8

Índice

TEST PARTE GENERAL

A. Constitución

B. Organización de la Comunitat Valenciana

C. La Unión Europea

D. Derecho Administrativo

TEST PARTE ESPECIAL

PARTE GENERAL

A. Constitución

TEST N.º 1

La Constitución Española de 1978: Título Preliminar. Título I, De los derechos y deberes fundamentales

1. ¿En qué se fundamenta la Constitución Española?

a) En un Estado social y democrático de Derecho.
b) En la indisoluble unidad de la Nación española.
c) En la independencia de los poderes del Estado.
d) En la organización territorial del Estado.

2. Según el artículo 3 de la CE, el castellano es la lengua oficial del Estado y todos los Españoles:

a) Tienen el deber de usar y el derecho de conocer el castellano.
b) Tienen el derecho y el deber de conocer el castellano.
c) Tienen el deber de conocer y el derecho de usar el castellano.
d) Tienen el derecho de conocer y usar el castellano.

3. La Constitución Española reconoce y garantiza el derecho a la autonomía:

a) De las nacionalidades que la integran.
b) De las regiones que la integran.
c) De las Comunidades Autónomas que la integran.
d) De las nacionalidades y regiones que la integran.

4. El Preámbulo de la Constitución:

a) Tiene en sí carácter de norma jurídica.
b) Es una declaración de intenciones, destinada a interpretar lo que se quiere alcanzar con el contenido normativo de la Constitución.
c) Se trata de un texto sin fuerza jurídica de obligar.
d) Las respuestas b) y c) son correctas.

5. Señala la afirmación correcta, respecto de la aprobación, ratificación y publicación de la Constitución Española:

a) Aprobada por las Cortes el 31 de octubre de 1978, ratificada por el pueblo en referéndum el 6 de diciembre de 1978 y publicada el 29 de diciembre de 1978.
b) Aprobada por las Cortes el 30 de octubre de 1978, ratificada por el pueblo en referéndum el 16 de diciembre de 1978 y publicada el 27 de diciembre de 1978.
c) Aprobada por las Cortes el 31 de octubre de 1978, ratificada por el pueblo en referéndum el 16 de diciembre de 1978 y publicada el 29 de diciembre de 1978.
d) Aprobada por las Cortes el 10 de octubre de 1978, ratificada por el pueblo en referéndum el 26 de diciembre de 1978 y publicada el 30 de diciembre de 1978.

6. ¿En qué parte de la Carta Magna se establece la exposición de motivos que impulsan la norma constitucional y los objetivos que con ella se pretenden alcanzar?

a) En el Título preliminar.
b) En el Preámbulo.
c) En el Título I.
d) En el Título II.

7. La Constitución Española fue sancionada por:

a) El Rey.
b) El Presidente del Congreso.
c) Las Cortes Generales.
d) El Presidente del Gobierno.

8. ¿Cuáles de los siguientes españoles de origen pueden ser privados de su nacionalidad?

a) Exclusivamente los miembros de grupos terroristas.
b) Los miembros de grupos terroristas y los que atenten contra el Rey u otro miembro de la Casa Real.
c) Los que atenten contra un miembro de la Familia Real o del Gobierno de la Nación.
d) Ningún español de origen podrá ser privado de su nacionalidad.

9. Según la CE son fundamentos del orden político y la paz social:

a) La dignidad de la persona, los derechos violables que les son inherentes y el respeto a la ley.
b) La dignidad de la persona, el desarrollo limitado de la personalidad y el respeto a la ley.
c) El respeto a la ley, a los reglamentos administrativos y demás disposiciones legales.
d) La dignidad de la persona, los derechos inviolables que le son inherentes, el libre desarrollo de su personalidad, el respeto a la ley y a los derechos de los demás.

10. ¿Cuál de los siguientes es considerado por la CE como uno de los valores superiores del ordenamiento jurídico?

a) La jerarquía normativa.
b) El pluralismo político.

c) La publicidad normativa.
d) La equidad.

11. La forma política del Estado español es:

a) Democracia parlamentaria.
b) Gobierno parlamentario.
c) Monarquía parlamentaria.
d) República democrática.

12. La parte de la CE que regula la estructura de los principales órganos del Estado recibe el nombre de:

a) Parte dogmática.
b) Parte orgánica.
c) Parte estatal.
d) Parte estructural.

13. Según la CE, la soberanía nacional:

a) Corresponde a las Cortes Generales, al estar compuestas por los representantes del pueblo.
b) Corresponde al Rey.
c) Reside en el pueblo español.
d) Corresponde al Gobierno de la Nación elegido directamente por el pueblo.

14. El derecho a la propiedad en nuestra Constitución es un Derecho:

a) Inherente a la condición humana.
b) Absoluto.
c) Limitado por la función social de la misma.
d) Ninguna de las respuestas anteriores es correcta.

15. ¿En qué parte de la Carta Magna se señalan los valores superiores del ordenamiento jurídico?

a) En el Preámbulo.
b) En el Título Preliminar.
c) En el Título I.
d) Ninguna respuesta es correcta.

Solución al test n.º 1

1. b) En la indisoluble unidad de la Nación española.

2. c) Tienen el deber de conocer y el derecho de usar el castellano.

3. d) De las nacionalidades y regiones que la integran.

4. d) Las respuestas b) y c) son correctas.

5. a) Aprobada por las Cortes el 31 de octubre de 1978, ratificada por el pueblo en referéndum el 6 de diciembre de 1978 y publicada el 29 de diciembre de 1978.

6. b) En el Preámbulo.

7. a) El Rey.

8. d) Ningún español de origen podrá ser privado de su nacionalidad.

9. d) La dignidad de la persona, los derechos inviolables que le son inherentes, el libre desarrollo de su personalidad, el respeto a la ley y a los derechos de los demás.

10. b) El pluralismo político.

11. c) Monarquía parlamentaria.

12. b) Parte orgánica.

13. c) Reside en el pueblo español.

14. c) Limitado por la función social de la misma.

15. b) En el Título Preliminar.

TEST N.º 2

La Constitución Española de 1978: Título IV, Del Gobierno y la Administración; Título V, De las relaciones entre el Gobierno y las Cortes Generales

1. Según exige la Constitución Española, el Congreso de los Diputados otorga su confianza al candidato a la Presidencia del Gobierno:

a) Por mayoría especial de 3/5 de sus miembros.
b) Por mayoría cualificada de 2/3 de sus miembros.
c) Por mayoría absoluta de sus miembros.
d) Por mayoría simple de sus miembros.

2. El Rey propone al candidato a la Presidencia del Gobierno:

a) Mediante Real Decreto.
b) A través del Presidente del Gobierno saliente.
c) A través del Presidente del Congreso.
d) Ninguna respuesta es correcta.

3. La acusación de traición al Presidente y demás miembros del Gobierno en el ejercicio de sus funciones, puede ser planteada por:

a) Cualquier ciudadano mediante la acción popular.
b) Las Cortes Generales.
c) La cuarta parte de los miembros del Congreso de los Diputados.
d) El Rey.

4. Los miembros del Gobierno de la Nación serán nombrados por:

a) El Presidente del Gobierno.
b) El Rey, a propuesta del Presidente del Gobierno.
c) El Presidente del Congreso.
d) La mayoría simple de los Diputados.

5. El Presidente del Gobierno es elegido por:

a) Las Cortes.
b) El Congreso de los Diputados.
c) El Rey.
d) Directamente por los electores.

6. El Gobierno español es un órgano:

a) Presidencialista.
b) Colegiado.
c) Unipersonal.
d) Cameralista.

7. Según la Constitución, la Administración Pública ha de actuar de acuerdo con los principios de:

a) Descentralización y desconcentración.
b) Unidad y variedad.
c) Coordinación y tutela.
d) Jerarquía y delegación.

8. El control de la potestad reglamentaria del Gobierno corresponde:

a) Al Congreso.
b) Al Senado.
c) Al Tribunal de Cuentas.
d) A los Tribunales según la materia.

9. La prerrogativa real de gracia no será aplicable a:

a) Los Ministros.
b) Los Secretarios de Estado.
c) Los Subsecretarios.
d) Podrá aplicarse a todos los anteriores.

10. Según la Constitución, ¿cuál de los siguientes órganos dirige la defensa del Estado?

a) El Rey.
b) La Junta de Defensa Nacional.
c) El Ministerio de Defensa.
d) El Gobierno.

11. El debate para la elección de Presidente del Gobierno se denomina:

a) Moción.
b) Elección.
c) Investidura.
d) Propuesta.

12. ¿Cuál de las siguientes afirmaciones es correcta?

a) Los Ministros sin cartera tienen menos rango administrativo y político que el resto de los Ministros.
b) Todos los Ministros tienen idéntico rango político y administrativo.
c) Unos Ministros, denominados de Estado, tienen preferencia sobre los demás.
d) Los Ministros que cuentan con Secretarios de Estado tienen un nivel administrativo superior a los demás.

13. ¿Cómo se nombran los Ministros?

a) Por el Rey, a propuesta del Presidente del Gobierno, previo acuerdo del Consejo de Ministros.
b) Por el Rey, a propuesta del Presidente del Gobierno.
c) Por el Presidente del Gobierno, previo acuerdo del Consejo de Ministros.
d) Por el Rey, a propuesta del Presidente del Congreso.

14. El Presidente del Gobierno es nombrado por:

a) Las Cortes.
b) El Rey.
c) El Congreso de los Diputados.
d) El Senado.

15. Al Vicepresidente del Gobierno lo nombra:

a) El Presidente del Gobierno.
b) El Rey a propuesta del Presidente del Gobierno.
c) El Presidente del Congreso.
d) El Presidente del Tribunal Constitucional.

Solución al test n.º 2

1. c) Por mayoría absoluta de sus miembros.

2. c) A través del Presidente del Congreso.

3. c) La cuarta parte de los miembros del Congreso de los Diputados.

4. b) El Rey, a propuesta del Presidente del Gobierno.

5. b) El Congreso de los Diputados.

6. b) Colegiado.

7. a) Descentralización y desconcentración.

8. d) A los Tribunales según la materia.

9. a) Los Ministros.

10. d) El Gobierno.

11. c) Investidura.

12. b) Todos los Ministros tienen idéntico rango político y administrativo.

13. b) Por el Rey, a propuesta del Presidente del Gobierno.

14. b) El Rey.

15. b) El Rey a propuesta del Presidente del Gobierno.

B. Organización de la Comunitat Valenciana

TEST N.º 3

El Estatuto de Autonomía de la Comunitat Valenciana: Título I, La Comunitat Valenciana; Título II, De los derechos de los valencianos y valencianas; Título III, La Generalitat; Título IV, Las competencias

1. Les Corts designarán los Senadores que le correspondan para representar la Comunitat Valenciana de conformidad:

a) Con la Ley Electoral General Estatal.
b) Con el Reglamento de Les Corts.
c) Con la Ley de Designación de Senadores en representación de la Comunidad Autónoma.
d) Con la Ley Electoral Valenciana.

2. La Ley Electoral Valenciana precisará, para su aprobación:

a) 2/3 partes de Les Corts.
b) Mayoría absoluta de Les Corts.
c) 3/5 partes de Les Corts.
d) 2/5 partes de Les Corts.

3. Las leyes de la Generalitat serán publicadas:

a) En el Boletín Oficial del Estado, en las dos lenguas oficiales.
b) En el Diario Oficial de la Generalitat.
c) En el Boletín Oficial del Estado, en los quince días siguientes a su aprobación.
d) En el Diario Oficial de la Generalitat con carácter inmediato.

4. ¿Cuál de las siguientes no es función de Les Corts?

a) Exigir la responsabilidad política de un Conseller.
b) Controlar la acción del Consell.
c) Controlar parlamentariamente a la Administración que esté bajo la autoridad de la Generalitat.
d) Interponer recursos de inconstitucionalidad.

5. ¿Cuál de las siguientes no es función de Les Corts?

a) Crear comisiones especiales de investigación.
b) Nombrar al President de la Generalitat.
c) Aprobar las emisiones de deuda pública.
d) Solicitar al Gobierno del Estado la adopción de proyectos de ley.

6. La iniciativa legislativa de Les Corts será ejercida por:

a) Los grupos parlamentarios, exclusivamente.
b) Únicamente por los diputados y diputadas.
c) El Consell, los diputados y diputadas de Les Corts, y los grupos parlamentarios de Les Corts.
d) El Consell exclusivamente.

7. El Reglamento de Les Corts:

a) Es una norma de rango inferior a ley.
b) Es una norma de rango equivalente al Estatuto de Autonomía.
c) Es una norma administrativa.
d) Tiene rango de ley.

8. El aforamiento de un Diputado o Diputada de Les Corts:

a) Supone la inviolabilidad del mismo.
b) Se extiende a responsabilidad penal y civil.
c) Supone la inmunidad del mismo.
d) Supone que su responsabilidad penal o civil será exigida siempre ante el Tribunal Superior de Justicia de la Comunitat Valenciana.

9. El President de la Generalitat podrá disolver Les Corts:

a) En la forma que determine el Estatuto de Autonomía.
b) En la forma que determine la Ley del Consell.
c) En la forma que determine la Ley Electoral Valenciana.
d) En la forma que determine el Reglamento de Les Corts.

10. Para que Les Corts celebren sesiones en lugar distinto a su sede oficial:

a) Se precisará conformidad del Consell.
b) Se precisa decisión en tal sentido del Consell y de los órganos de gobierno de Les Corts.
c) Se necesita decisión en tal sentido del Presidente del Consell.
d) Se precisa decisión en tal sentido de los órganos de gobierno de Les Corts.

11. Para determinados efectos, el mandato de los Diputados de Les Corts concluye:

a) El día en que se convocan las elecciones.
b) El día en que se celebran las elecciones.
c) El día de antes al de celebración de las elecciones.
d) El día siguiente al que se convocan las elecciones.

12. Las sesiones del Pleno de Les Corts:

a) Tienen que ser públicas salvo en los supuestos en que la ley permita lo contrario.
b) Tienen que ser públicas.
c) Tienen que ser públicas salvo en los supuestos en que el Reglamento de Les Corts permita lo contrario.
d) Tienen que ser públicas salvo en las materias en que el Estatuto de Autonomía permite lo contrario.

13. La denominación del Título III del Estatuto de Autonomía es:

a) La Generalitat
b) Los órganos de la Generalitat.
c) El Gobierno de la Generalitat.
d) Instituciones de la Comunidad Valenciana.

14. Según el Estatuto de Autonomía, ¿qué número de votos deberá haber obtenido el partido, federación, agrupación de electores o coalición que se hayan presentado a las elecciones para poder ser proclamados diputados electos de Les Corts?

a) El 5 % de los votos de la Comunidad.
b) El 3 % de los votos de su circunscripción electoral.
c) El número de votos que determine la Ley Electoral Valenciana.
d) El 5 % de los votos de su circunscripción electoral.

15. El Título III del Estatuto de Autonomía:

a) No tiene Capítulos.
b) Tiene 5 Capítulos.
c) Tiene 3 Capítulos.
d) Tiene 7 Capítulos.

Solución al test n.º 3

1. c) Con la Ley de Designación de Senadores en representación de la Comunidad Autónoma.

2. a) 2/3 partes de Les Corts.

3. b) En el Diario Oficial de la Generalitat.

4. a) Exigir la responsabilidad política de un Conseller.

5. b) Nombrar al President de la Generalitat.

6. c) El Consell, los diputados y diputadas de Les Corts, y los grupos parlamentarios de Les Corts.

7. d) Tiene rango de ley.

8. b) Se extiende a responsabilidad penal y civil.

9. b) En la forma que determine la Ley del Consell.

10. d) Se precisa decisión en tal sentido de los órganos de gobierno de Les Corts.

11. c) El día de antes al de celebración de las elecciones.

12. c) Tienen que ser públicas salvo en los supuestos en que el Reglamento de Les Corts permita lo contrario.

13. a) La Generalitat

14. c) El número de votos que determine la Ley Electoral Valenciana.

15. d) Tiene 7 Capítulos.

TEST N.º 4

La Ley 5/1983, de 30 de diciembre, del Consell: Título I, Del President de la Generalitat; Título II, Del Consell: Capítulo I, Del Consell y su composición; Capítulo II, De las atribuciones del Consell; Capítulo III, Del funcionamiento del Consell; Capítulo VI, De la iniciativa legislativa, de los Decretos Legislativos y de la potestad reglamentaria del Consell; Título III, De las relaciones entre el Consell y Les Corts

1. La creación de las Secretarías Autonómicas se realizará por:

a) El President de la Generalitat.
b) El Consell.
c) El Consell a propuesta del President de la Generalitat.
d) El President de la Generalitat a propuesta del Consell.

2. En el funcionamiento del Consell, según la Ley del Consell, prima:

a) Su dirección administrativa.
b) Su dirección presidencial.
c) Su funcionamiento administrativo.
d) Sus decisiones colegiadas.

3. Que el President de la Generalitat tenga que ser miembro de Les Corts:

a) Lo establece así únicamente el Estatuto de Autonomía.
b) Lo establece así la CE (Constitución española) y el EA (Estatuto de Autonomía).
c) Lo establece así únicamente el EA y la Ley del Consell.
d) Lo establece únicamente la Ley del Consell.

4. ¿Cómo se realizará el debate del programa político de gobierno que proponga el candidato a la Presidencia de la Generalitat?

a) Conforme determina el Estatuto de Autonomía.
b) Conforme determina concretamente la Ley del Consell.
c) Conforme determina concretamente la modificación última de la Ley del Consell.
d) Conforme el Reglamento de Les Corts.

5. ¿Cuántas propuestas sucesivas puede realizar el Presidente de Les Corts a estas referente a la elección del President de la Generalitat?

a) No más de tres.
b) No más de dos.
c) No se dispone limitación ni en el EA ni en la Ley del Consell.
d) Las que disponga el Reglamento de Les Corts, tal como dispone la Ley del Consell.

6. La disolución de Les Corts por no haberse encontrado candidato a la Presidencia de la Generalitat será tomada:

a) Por acuerdo.
b) Por real decreto.
c) Por decreto ley.
d) Por decreto.

7. En el supuesto de disolución de Les Corts por no haberse encontrado candidato a la Presidencia de la Generalitat, la convocatoria de nuevas elecciones será hecha:

a) Por el President de la Generalitat en funciones.
b) Por el Consell en funciones.
c) Por el Presidente de Les Corts.
d) Por la Mesa de Les Corts.

8. ¿Cuál de las siguientes no es función del President de la Generalitat?

a) Fijar orden del día de las reuniones del Consell.
b) Firmar los decretos del Consell.
c) Levantar actas de las sesiones del Consell.
d) Coordinar la ejecución de los acuerdos del Consell.

9. Para que el President de la Generalitat pueda presentar ante Les Corts la cuestión de confianza, se precisará:

a) Deliberación del Consell.
b) Autorización del Consell.
c) Votación favorable del Consell por mayoría absoluta.
d) Acuerdo del Consell.

10. Los Consellers sin cartera:

a) Tendrán adscrita la Secretaría Autonómica de la Presidencia.
b) Podrán no tener adscritas Secretarías Autonómicas.
c) No tendrán adscritas Secretarías Autonómicas.
d) Tendrán sus correspondientes Secretarías Autonómicas.

11. ¿Cuál de las siguientes afirmaciones es cierta respecto a la elección por Les Corts del President de la Generalitat?

a) Rechazada la propuesta del primer candidato, el Presidente de Les Corts retomará la ronda de consultas.

b) El Presidente de Les Corts retomará la ronda de consultas si han transcurrido dos meses de la presentación del primer candidato.

c) Para que el Presidente de Les Corts retome la ronda de consultas será preciso que hayan sido rechazados sucesivamente dos candidatos que él haya presentado.

d) El Presidente de Les Corts no está obligado a retomar la ronda de consultas.

12. El Consell podrá retirar su proyecto de ley ante Les Corts:

a) Siempre que estas no hayan tomado acuerdo final sobre el mismo.

b) Siempre que estas no hayan comenzado la votación sobre el mismo.

c) Siempre que estas no hayan comenzado la deliberación sobre el mismo.

d) En cualquier momento anterior a la publicación oficial del mismo.

13. ¿Cuál de las siguientes afirmaciones es cierta respecto a lo dispuesto en la Ley del Consell?

a) El plazo mínimo dispuesto para la votación de la cuestión de confianza es el idéntico al plazo que debe transcurrir como mínimo entre la primera y segunda votación de investidura.

b) El plazo mínimo dispuesto para la votación de la cuestión de confianza es inferior al plazo que debe transcurrir entre la primera y segunda votación de investidura.

c) El plazo mínimo dispuesto para la votación de la cuestión de confianza es el superior al plazo que debe transcurrir como mínimo entre la primera y segunda votación de investidura.

d) Todas son falsas.

14. Los proyectos de ley sobre los que el Consell ha propuesto cuestión de confianza:

a) Tendrán que ser aprobados por mayoría cualificada.

b) Serán aprobados por mayoría simple salvo que para su aprobación se requiera mayoría cualificada.

c) Tendrán que ser aprobados por mayoría absoluta.

d) Tendrán que ser aprobados por la mayoría que determine Les Corts.

15. La emisión de deuda pública que realice el Consell estará supeditada:

a) A que sea destinada a gastos de inversión.

b) A que esté facultada por ley estatal.

c) A que lo sea dentro de las materias financieras que determina el Estatuto de Autonomía.

d) Que lo sea en ejecución de una ley estatal.

Solución al test n.º 4

1. a) El President de la Generalitat.

2. b) Su dirección presidencial.

3. b) Lo establece así la CE (Constitución española) y el EA (Estatuto de Autonomía).

4. d) Conforme el Reglamento de Les Corts.

5. c) No se dispone limitación ni en el EA ni en la Ley del Consell.

6. a) Por acuerdo.

7. a) Por el President de la Generalitat en funciones.

8. c) Levantar actas de las sesiones del Consell.

9. a) Deliberación del Consell.

10. b) Podrán no tener adscritas Secretarías Autonómicas.

11. d) El Presidente de Les Corts no está obligado a retomar la ronda de consultas.

12. a) Siempre que estas no hayan tomado acuerdo final sobre el mismo.

13. b) El plazo mínimo dispuesto para la votación de la cuestión de confianza es inferior al plazo que debe transcurrir entre la primera y segunda votación de investidura.

14. b) Serán aprobados por mayoría simple salvo que para su aprobación se requiera mayoría cualificada.

15. a) A que sea destinada a gastos de inversión.

TEST N.º 5

La Ley 5/1983, de 30 de diciembre, del Consell: Título II, Del Consell: Capítulo IV, De la Conselleria y de los Consellers; Capítulo V, Del Estatuto Personal de los Consellers; Título IV, De la Administración Pública de la Generalitat; Título V, De la responsabilidad de los miembros del Consell y de la Administración Pública de la Generalitat

1. El procedimiento de determinación de la estructura orgánica superior del Consell y la designación de sus titulares, mediante la Ley del Consell:

a) Se jerarquiza.
b) Se limita.
c) Se agiliza.
d) Se fiscaliza.

2. A los Consellers les corresponden:

a) El ejercicio de las facultades ordinarias de contratación administrativa dentro de los límites establecidos en las leyes presupuestarias.
b) El ejercicio de cualquier facultad en materia de contratación administrativa.
c) El ejercicio de la facultad en materia de contratación administrativa dentro de las competencias establecidas por el Consell.
d) El ejercicio de la facultad en materia de contratación administrativa siempre que le sea delegado por el Consell.

3. Las funciones competentes de los Consellers:

a) Les tendrán que ser atribuidas por ley.
b) Les podrán ser atribuidas reglamentariamente.
c) Les tendrán que ser atribuidas por ley o reglamentariamente.
d) Además de por ley o por reglamento, solo les podrán ser atribuidas por el President de la Generalitat.

4. El Reglamento orgánico de cada Conselleria:

a) Es aprobado por el Consell.
b) Es aprobado por el Conseller respectivo.

c) Es aprobado por el President de la Generalitat.

d) Puede ser aprobado por la Comisión Delegada del Gobierno que tenga competencias en la materia.

5. La Presidencia de la Generalitat orgánicamente se desarrolla:

a) Conforme especifica la Ley del Consell.

b) Conforme a su reglamento orgánico.

c) Conforme a las leyes de Les Corts que deben regularlo.

d) Conforme a sus propias disposiciones reglamentarias, siempre dentro de los límites fijados por la ley estatal.

6. ¿Ante quién no pueden responder de su gestión los Secretarios Autonómicos?

a) Ante el Conseller.

b) Ante el President de la Generalitat

c) Ante los Vicepresidentes del Consell.

d) Ante cualquiera de ellos.

7. La adaptación de las normas de la Administración del Estado a la organización de la Generalitat Valenciana se hará conforme a las normas dictadas por:

a) Les Corts.

b) Las Cortes Generales.

c) El Consell.

d) Los órganos administrativos de la Generalitat.

8. La adaptación anterior se realizará:

a) Por medio de leyes de Les Corts.

b) Por medio de decreto del President de la Generalitat.

c) Mediante reglamentación del Consell.

d) Mediante decreto del President de la Generalitat.

9. La ley del Consell:

a) Permite la delegación de competencias delegadas en cualquier caso.

b) Permite en determinados supuestos la delegación de competencias delegadas.

c) Se remite en cuanto a la delegación de competencias delegadas a lo establecido en la Legislación General del Estado.

d) No permite, en ningún caso, la delegación de competencias delegadas.

10. Las competencias propias del Consell:

a) No son delegables.

b) Son delegables en determinados casos en las Comisiones Delegadas del Gobierno.

c) Son delegables en cualquier caso y órganos.
d) Son delegables en cualquier caso en las Comisiones Delegadas del Gobierno.

11. Las Secretarías Autonómicas:

a) Son de existencia facultativa.
b) Son de existencia probable.
c) Son de existencia general.
d) Son de existencia obligada.

12. Requerirán autorización previa del Conseller:

a) La delegación realizada por los órganos de nivel superior.
b) La delegación realizada por los órganos de nivel administrativo.
c) Cualquier delegación realizada en el seno de una Conselleria.
d) La delegación realizada en los órganos de nivel directivo y administrativo.

13. Los servicios periféricos lo son:

a) De las Consellerias.
b) De la Presidencia del Consell.
c) Del Consell.
d) De la Presidencia de la Generalitat Valenciana.

14. Los servicios periféricos son expresión del principio de:

a) Economía.
b) Control.
c) Desconcentración.
d) Descentralización.

15. Los servicios periféricos tienen competencia territorial en:

a) Todo el territorio provincial que asumen.
b) En toda la Comunidad Autónoma.
c) En el mismo territorio que asumen los servicios centrales.
d) En su propio ámbito territorial.

Solución al test n.º 5

1. c) Se agiliza.

2. a) El ejercicio de las facultades ordinarias de contratación administrativa dentro de los límites establecidos en las leyes presupuestarias.

3. b) Les podrán ser atribuidas reglamentariamente.

4. a) Es aprobado por el Consell.

5. b) Conforme a su reglamento orgánico.

6. d) Ante cualquiera de ellos.

7. c) Del Consell.

8. c) Mediante reglamentación del Consell.

9. d) No permite, en ningún caso, la delegación de competencias delegadas.

10. d) Son delegables en cualquier caso en las Comisiones Delegadas del Gobierno.

11. a) Son de existencia facultativa.

12. b) La delegación realizada por los órganos de nivel administrativo.

13. a) De las Consellerias.

14. c) Desconcentración.

15. d) En su propio ámbito territorial.

C. La Unión Europea

TEST N.º 6

Características del ordenamiento jurídico de la Unión Europea. Fuentes del Derecho de la Unión Europea. Tratados constitutivos. Actos jurídicos de la Unión. Los Reglamentos. Las Directivas

1. El Tratado de la CECA entra en vigor el:

a) 25 de julio de 1952.
b) 1 de julio de 1952.
c) 31 de junio de 1952.
d) 25 de junio de 1952.

2. El periodo de duración del Tratado de la CECA era de:

a) No se establecía periodo de duración.
b) 40 años.
c) 25 años.
d) 50 años.

3. Los Tratados de Roma de 25 de marzo de 1957 por los que se crean la Comunidad Económica Europea (CEE) y la Comunidad Europea de la Energía Atómica (CEEA o EURATOM) se firman por:

a) Alemania, Gran Bretaña, Italia, Bélgica, Holanda, Luxemburgo.
b) Alemania, Francia, Italia, Bélgica, Holanda, Luxemburgo.
c) Francia, Italia, Bélgica, Holanda, Luxemburgo.
d) Alemania, Francia, Gran Bretaña, Bélgica, Holanda, Luxemburgo.

4. De acuerdo con el Tratado Constitutivo de la Comunidad Europea, la realización de las funciones asignadas a la Comunidad corresponderá a:

a) Una Asamblea, un Consejo, una Comisión y un Tribunal de Justicia.
b) Un Parlamento, un Consejo, una Comisión y un Tribunal de Justicia.
c) Una Asamblea, un Consejo y una Comisión.
d) Una Asamblea, un Consejo y un Tribunal de Justicia.

5. De acuerdo con el Tratado de Bruselas de 8 de abril de 1965, que entró en vigor el 1 de julio de 1967, denominado tratado de fusión, se constituyó:

a) Un Consejo único y una Comisión única.
b) Un único Tribunal de Justicia y una Comisión.
c) Un único Tribunal de Justicia, Parlamento, Comisión y Consejo.
d) Un Consejo y un Parlamento único.

6. El Acta Única es ratificada por España en:

a) 1987.
b) 1986.
c) 1988.
d) 1989.

7. Son objetivos del Acta Única:

a) Establecimiento de un gran mercado sin fronteras.
b) Adopción de políticas estructurales y de apoyo a las regiones más atrasadas.
c) Cooperación en investigación y desarrollo.
d) Todos son objetivos.

8. El Tratado de Lisboa:

a) Modificará los dos textos fundamentales de la UE: el Tratado de la Unión Europea y el Tratado constitutivo de la Comunidad Europea.
b) El Tratado Constitutivo pasará a llamarse Tratado de Funcionamiento de la Unión Europea.
c) Entró en vigor el 15 de diciembre de 2009.
d) Las respuestas a) y b) son verdaderas.

9. El Tratado de Niza entra en vigor:

a) El 1 de febrero de 2003.
b) El 1 de enero de 2003.
c) El 1 de febrero de 2002.
d) El 28 de febrero de 2003.

10. Según el Tratado Constitutivo, la CEE tenía como objetivos:

a) Una unión monetaria, la configuración de ciertas políticas comunes, la creación de un mercado europeo, y un mercado común que irá logrando poco a poco.
b) Una unión aduanera, la configuración de ciertas políticas comunes, la creación de un mercado europeo, y un mercado común que irá logrando poco a poco.
c) Una unión aduanera, una unión monetaria, la configuración de ciertas políticas comunes, la creación de un mercado europeo y un mercado común que irá logrando poco a poco.
d) Todas las respuestas son falsas.

11. Entre las principales modificaciones del TUE tras el Tratado de Lisboa se encuentra:

a) La sustitución de la Unión Europea y de la Comunidad Europea, por una sola "Unión Europea".
b) La creación de los tres pilares.
c) La eliminación de los tres pilares.
d) Las respuestas a) y c) son verdaderas.

12. La "comunitarización" del sistema de Schengen (libre circulación de personas sin barrera) se produce en:

a) El TUE.
b) El Tratado de Lisboa.
c) El TCE.
d) El Tratado de Ámsterdam.

13. ¿Qué Tratado se puede considerar como el primer intento de limitación de los poderes de las instituciones?

a) AUE.
b) Niza.
c) Ámsterdam.
d) TUE.

14. La primera elección por sufragio universal y directo del Parlamento se produce en:

a) 1979.
b) 1981.
c) 1977.
d) 1987.

15. El punto de partida para la Política Exterior y Seguridad Común fue establecido:

a) En el AUE.
b) En el Tratado Constitutivo CEE.
c) En Niza.
d) En el TUE.

Solución al test n.º 6

1. a) 25 de julio de 1952.

2. d) 50 años.

3. b) Alemania, Francia, Italia, Bélgica, Holanda, Luxemburgo.

4. a) Una Asamblea, un Consejo, una Comisión y un Tribunal de Justicia.

5. a) Un Consejo único y una Comisión única.

6. b) 1986.

7. d) Todos son objetivos.

8. d) Las respuestas a) y b) son verdaderas.

9. a) El 1 de febrero de 2003.

10. b) Una unión aduanera, la configuración de ciertas políticas comunes, la creación de un mercado europeo, y un mercado común que irá logrando poco a poco.

11. d) Las respuestas a) y c) son verdaderas.

12. d) El Tratado de Ámsterdam.

13. a) AUE.

14. a) 1979.

15. a) En el AUE.

D. Derecho Administrativo

TEST N.º 7

La Ley 40/2015, de 1 de octubre, de Régimen Jurídico del Sector público: Título preliminar: Capítulo I, Disposiciones generales. Capítulo II, De los órganos de las Administraciones Públicas

1. De conformidad con el artículo 8 de la Ley 40/2015, de 1 de octubre, de Régimen Jurídico del Sector Público, la competencia para el dictado de actos administrativos:

a) Es irrenunciable y siempre se ejercerá por los órganos administrativos que la tengan atribuida como propia.
b) Se puede delegar en todo caso.
c) Es irrenunciable y se ejercerá por los órganos administrativos que la tengan atribuida como propia, salvo los casos de delegación o avocación, en los términos previstos en la ley.
d) Es irrenunciable y se ejercerá por los órganos administrativos que la tengan atribuida como propia, salvo los casos de delegación de firma o suplencia, en los términos previstos en la ley.

2. En ningún caso podrán ser objeto de delegación, tal y como dispone la Ley 40/2015, de 1 de octubre, competencias relativas a:

a) La resolución de los recursos de alzada.
b) La adopción de disposiciones de carácter general.
c) Las resoluciones en materia de personal.
d) Las resoluciones de responsabilidad patrimonial.

3. Según dispone el artículo 23 de la Ley 40/2015, de 1 de octubre, de Régimen Jurídico del Sector Público, es motivo de abstención:

a) Tener interés personal en el asunto de que se trate o en otro en cuya resolución pudiera influir la de aquel, ser administrador de sociedad o entidad interesada, o tener cuestión litigiosa pendiente con algún interesado.
b) Tener parentesco de consanguinidad dentro del cuarto grado o de afinidad dentro del tercero, con cualquiera de los interesados, con los administradores de entidades o sociedades interesadas o con sus asesores o representantes legales.

c) Haber prestado servicios profesionales de cualquier tipo y en cualquier circunstancia o lugar en los cinco últimos años a persona natural interesada directamente en el asunto.

d) Haber prestado servicios profesionales de cualquier tipo y en cualquier circunstancia o lugar en los cinco últimos años a persona jurídica interesada directamente en el asunto.

4. La recusación de acuerdo con el artículo 24 de la Ley 40/2015, de 1 de octubre, de Régimen Jurídico del Sector Público, la promueve:

a) La autoridad.
b) El superior jerárquico de la autoridad o funcionario.
c) El interesado.
d) El funcionario.

5. Según dispone el artículo 23 de la Ley 40/2015, de 1 de octubre, de Régimen Jurídico del Sector Público, NO es un motivo de abstención:

a) Haber tenido intervención como perito en el procedimiento de que se trate.

b) Tener parentesco de afinidad dentro del segundo grado, con cualquiera de los interesados, con los administradores de entidades o sociedades interesadas y también con los asesores, representantes legales o mandatarios que intervengan en el procedimiento.

c) Tener parentesco de afinidad dentro del cuarto grado, con cualquiera de los interesados, con los administradores de entidades o sociedades interesadas y también con los asesores, representantes legales o mandatarios que intervengan en el procedimiento.

d) Haber tenido intervención como testigo en el procedimiento de que se trate.

6. Según el artículo 9 de la Ley 40/2015, de 1 de octubre, de Régimen Jurídico del Sector Público, la delegación de competencias:

a) Será revocable en cualquier momento por el órgano que la haya conferido.
b) Es irrevocable.
c) Será revocable solo por el Consejo de Gobierno.
d) Será revocable solo por el Consejo de Ministros.

7. De acuerdo con el artículo 3 de la Ley 40/2015, de 1 de octubre, de Régimen Jurídico del Sector Público, ¿cuáles son los principios de actuación de las Administraciones Públicas?

a) Jerarquía, cooperación, descentralización, desconcentración y colaboración.
b) Eficacia, desconcentración, jerarquía, descentralización y cooperación.
c) Coordinación, descentralización, jerarquía, eficacia y desconcentración.
d) Cooperación, jerarquía, descentralización, eficiencia y servicio a los ciudadanos.

8. ¿Qué principios deberán respetar en su actuación las Administraciones Públicas, conforme al artículo 3 de la Ley 40/2015, de 1 de octubre, de Régimen Jurídico del Sector Público?

a) Los de buena fe y confianza legítima.
b) Los de eficiencia y servicio a los ciudadanos.
c) Participación, objetividad y transparencia de la actuación administrativa.
d) Los de transparencia y participación.

9. ¿Qué principios deberán respetar en sus relaciones las Administraciones Públicas?

a) Buena fe, confianza legítima y lealtad institucional.
b) Los de eficiencia y servicio a los ciudadanos.
c) Los de transparencia y participación.
d) Los de cooperación y colaboración.

10. Las Administraciones Públicas se relacionarán entre sí y con sus órganos, organismos públicos y entidades vinculados o dependientes, conforme al artículo 3.2 de la Ley 40/2015, de 1 de octubre, de Régimen Jurídico del Sector Público:

a) A través de medios electrónicos.
b) A través de medios electrónicos, que aseguren la interoperabilidad y seguridad de los sistemas y soluciones adoptadas por cada una de ellas garantizando la protección de los datos de carácter personal, y facilitando preferentemente la prestación conjunta de servicios a los interesados.
c) Directamente y sin dilación garantizando la protección de los datos de carácter personal, y facilitarán preferentemente la prestación conjunta de servicios a los interesados.
d) Preferentemente a través de medios electrónicos, que aseguren la prestación conjunta de servicios a los interesados.

11. ¿Cuál de las siguientes respuestas es correcta, de acuerdo con lo dispuesto en el artículo 3.4 de la Ley 40/2015, de 1 de octubre, de Régimen Jurídico del Sector Público?

a) Cada Administración Pública actúa para el cumplimiento de sus fines con personalidad jurídica única.
b) Las Administraciones Públicas se configuran como órganos territoriales.
c) Las Administraciones Públicas están integradas por entes locales.
d) Cada Administración instrumental actúa para el cumplimiento de sus fines con personalidad jurídica única.

12. Conforme a lo dispuesto en el artículo 5.3 de la Ley 40/2015, de 1 de octubre, de Régimen Jurídico del Sector Público, ¿qué requisito, de los siguientes, debe cumplirse para la creación de cualquier órgano administrativo?

a) Determinar su forma de descentralización en la Administración Pública de que se trate.
b) Fijar los objetivos de interés común a cumplir.

c) La dotación de los créditos necesarios para su puesta en marcha y funcionamiento.
d) Deben cumplirse todos los requisitos anteriores.

13. De acuerdo con lo dispuesto en el artículo 8.1 de la Ley 40/2015, de 1 de octubre, de Régimen Jurídico del Sector Público, ¿cómo es la competencia que ejerce un órgano administrativo que la tenga atribuida como propia?

a) Es compartida con el órgano de superior jerarquía.
b) Es irrenunciable.
c) Es renunciable ante el órgano superior del mismo ente.
d) Es renunciable ante el órgano superior del mismo ente, a través de la técnica de la avocación.

14. Señala la respuesta correcta. De acuerdo con lo dispuesto en el artículo 8 de la Ley 40/2015, de 1 de octubre, de Régimen Jurídico del Sector Público:

a) Se pueden crear órganos que supongan duplicación de otros ya existentes.
b) La delegación de firma y la suplencia supone alteración de la titularidad de la competencia.
c) La encomienda de gestión supone alteración de la titularidad de la competencia.
d) Salvo los casos de avocación o delegación la competencia es irrenunciable.

15. Señala la respuesta correcta. Según el artículo 9 de la Ley 40/2015, de 1 de octubre, de Régimen Jurídico del Sector Público:

a) Los órganos de las diferentes Administraciones Públicas no podrán delegar el ejercicio de competencias que tengan atribuidas en otros órganos de la misma Administración, aun cuando no sean jerárquicamente dependientes.
b) No podrán ser objeto de delegación las competencias relativas a asuntos que se refieran a las relaciones con las Asambleas Legislativas de las Comunidades Autónomas.
c) Se podrán delegar las competencias relativas a asuntos que se refieran a las relaciones con las Cortes Generales.
d) Podrá ser objeto de delegación la resolución de recursos en los órganos administrativos que hayan dictado los actos objeto de recurso.

Solución al test n.º 7

1. c) Es irrenunciable y se ejercerá por los órganos administrativos que la tengan atribuida como propia, salvo los casos de delegación o avocación, en los términos previstos en la ley.

2. b) La adopción de disposiciones de carácter general.

3. a) Tener interés personal en el asunto de que se trate o en otro en cuya resolución pudiera influir la de aquel, ser administrador de sociedad o entidad interesada, o tener cuestión litigiosa pendiente con algún interesado.

4. c) El interesado.

5. c) Tener parentesco de afinidad dentro del cuarto grado, con cualquiera de los interesados, con los administradores de entidades o sociedades interesadas y también con los asesores, representantes legales o mandatarios que intervengan en el procedimiento.

6. a) Será revocable en cualquier momento por el órgano que la haya conferido.

7. c) Coordinación, descentralización, jerarquía, eficacia y desconcentración.

8. c) Participación, objetividad y transparencia de la actuación administrativa.

9. a) Buena fe, confianza legítima y lealtad institucional.

10. b) A través de medios electrónicos, que aseguren la interoperabilidad y seguridad de los sistemas y soluciones adoptadas por cada una de ellas, garantizando la protección de los datos de carácter personal, y facilitando preferentemente la prestación conjunta de servicios a los interesados.

11. a) Cada Administración Pública actúa para el cumplimiento de sus fines con personalidad jurídica única.

12. c) La dotación de los créditos necesarios para su puesta en marcha y funcionamiento.

13. b) Es irrenunciable.

14. d) Salvo los casos de avocación o delegación la competencia es irrenunciable.

15. b) No podrán ser objeto de delegación las competencias relativas a asuntos que se refieran a las relaciones con las Asambleas Legislativas de las Comunidades Autónomas.

TEST N.º 8

La Ley 39/2015, de 1 de octubre, del Procedimiento Administrativo Común de las Administraciones Públicas: Título Preliminar, Disposiciones generales; Título I, De los interesados en el procedimiento; Título II, De la actividad de las Administraciones Públicas

1. ¿A qué capacidad se refiere el art. 3 de la Ley 39/2015, de 1 de diciembre, en relación con las personas físicas?

a) A la capacidad jurídica.
b) A la capacidad para ser titular de derechos subjetivos.
c) A la capacidad para ser titular de deberes jurídicos.
d) A la capacidad de obrar.

2. Los menores de edad, ¿tienen capacidad de obrar ante las Administraciones Públicas?

a) Sí, en todo caso, para el ejercicio y defensa de aquellos de sus derechos e intereses cuya actuación esté permitida por el ordenamiento jurídico sin la asistencia de la persona que ejerza la patria potestad, tutela o curatela.

b) No, en ningún caso; únicamente tendrán capacidad de obrar ante las Administraciones Públicas, las personas físicas mayores de edad no incapacitadas.

c) Sí, para el ejercicio y defensa de aquellos de sus derechos e intereses cuya actuación esté permitida por el ordenamiento jurídico sin la asistencia de la persona que ejerza la patria potestad, tutela o curatela, aunque sean menores incapacitados, siempre que la extensión de la incapacitación no afecte al ejercicio y defensa de los derechos o intereses de que se trate.

d) Sí, excepto los menores incapacitados.

3. Excepto el supuesto previsto por el artículo 3.b) de la Ley 39/2015, de 1 de octubre, los menores de edad no tienen capacidad de obrar ante las Administraciones Públicas, y necesitan de la asistencia de la persona que ejerza la patria potestad, tutela o curatela. En relación con la patria potestad, señala cuál de los siguientes enunciados es incorrecto:

a) La patria potestad, como responsabilidad parental, se ejercerá siempre en interés de los hijos, de acuerdo con su personalidad, y con respeto a sus derechos, su integridad física y mental.

b) El ejercicio de la patria potestad comprende representar a sus hijos y administrar sus bienes.

c) Los hijos emancipados están bajo la patria potestad de los progenitores.

d) Si los hijos tuvieren suficiente madurez deberán ser oídos siempre antes de adoptar decisiones que les afecten.

4. ¿Quiénes de los siguientes están sujetos a tutela?

a) Los menores emancipados que estén bajo la patria potestad.

b) Los menores no emancipados que no estén bajo la patria potestad.

c) Los menores emancipados que no estén bajo la patria potestad.

d) Los hijos no emancipados.

5. ¿Cuál de las siguientes características se vincula con la institución de la curatela del menor a que hace referencia el art. 3.b) de la Ley 39/2015, de 1 de octubre?

a) El curador no cuida de la persona sujeta a curatela, sino de su patrimonio.

b) La función del curador es la de complementar la capacidad del menor en todos aquellos actos o negocios jurídicos que no puede realizar por sí mismo.

c) El curador tiene cura de la persona sujeta a curatela, pero no de su patrimonio.

d) El curador tiene cura de la persona sujeta a curatela y de su patrimonio.

6. Los patrimonios independientes o autónomos, ¿tienen capacidad de obrar ante las Administraciones Públicas?

a) Sí.

b) No.

c) Siempre que la ley así lo declare expresamente.

d) Los patrimonios independientes o autónomos tienen reconocida capacidad jurídica ante las Administraciones Públicas en aplicación del artículo 3 de la Ley 39/2015, de 1 de octubre.

7. Tendrán capacidad de obrar ante las Administraciones Públicas las personas jurídicas que ostenten capacidad de obrar con arreglo a las normas civiles. ¿En qué momento adquirirán esta capacidad?

a) Desde el instante mismo en que, con arreglo a derecho, hubiesen quedado válidamente constituidas.

b) Las personas jurídicas adquirirán su capacidad de obrar en los mismos términos que las personas físicas.

c) En el momento en que finalice su personalidad.

d) Las personas jurídicas no tienen capacidad de obrar ante las Administraciones Públicas sino capacidad jurídica.

8. En aplicación del art. 3 de la Ley 39/2015, de 1 de octubre, NO tendrán capacidad de obrar ante las Administraciones Públicas:

a) Las personas físicas incapacitadas.

b) Las personas jurídicas que ostenten capacidad de obrar con arreglo a las normas civiles.

c) Los menores de edad para el ejercicio y defensa de aquellos de sus derechos e intereses cuya actuación esté permitida por el ordenamiento jurídico sin la asistencia de la persona que ejerza la patria potestad, tutela o curatela.
d) Las asociaciones de interés público reconocidas por la ley.

9. ¿Una persona declarada pródiga tiene capacidad de obrar plena ante las Administraciones Públicas?

a) Sí; las personas físicas tienen capacidad de obrar ante las Administraciones Públicas.
b) No; puede estar sujeta a tutela.
c) No; puede estar sujeta a curatela.
d) No; está sujeta a la patria potestad de sus progenitores.

10. La Ley 40/2015, de 1 de octubre, de régimen jurídico del sector público, ¿establece alguna regulación sobre la capacidad de obrar de los interesados ante las Administraciones Públicas?

a) Sí, en su artículo 3.
b) Sí, en tanto la Ley 40/2015, de 1 de octubre, tiene por objeto regular el procedimiento administrativo común a todas las Administraciones Públicas.
c) No, en tanto la Ley 40/2015, de 1 de octubre, únicamente tiene por objeto regular los principios a los que se ha de ajustar el ejercicio de la iniciativa legislativa y la potestad reglamentaria.
d) No.

11. Una persona que quiera participar en un proceso selectivo para cubrir plazas en una Administración Pública, ¿se considera interesada en el procedimiento administrativo?

a) Sí, en aplicación del artículo 4.1.a) de la Ley 39/2015, de 1 de octubre.
b) Sí, en aplicación del artículo 4.1.b) de la Ley 39/2015, de 1 de octubre.
c) Sí, en aplicación del artículo 4.1.c) de la Ley 39/2015, de 1 de octubre.
d) No, en tanto el procedimiento lo ha promovido la Administración y no la persona interesada.

12. En un procedimiento de expropiación forzosa, una persona reclama para sí la titularidad de una parcela que no está a su nombre; ¿tendrá la consideración de persona interesada en el procedimiento administrativo?

a) Sí, en aplicación del artículo 4.1.a) de la Ley 39/2015, de 1 de octubre.
b) Sí, en aplicación del artículo 4.1.b) de la Ley 39/2015, de 1 de octubre.
c) Sí, en aplicación del artículo 4.1.c) de la Ley 39/2015, de 1 de octubre.
d) No, en tanto el procedimiento lo ha promovido la Administración y no la persona interesada.

13. En un procedimiento de expropiación forzosa, el titular de un bien inmueble objeto de expropiación, ¿tendrá la consideración de interesado en el procedimiento administrativo?

a) Sí, en aplicación del artículo 4.1.a) de la Ley 39/2015, de 1 de octubre.
b) Sí, en aplicación del artículo 4.1.b) de la Ley 39/2015, de 1 de octubre.
c) Sí, en aplicación del artículo 4.1.c) de la Ley 39/2015, de 1 de octubre.
d) Sí, en aplicación del artículo 4.2 de la Ley 39/2015, de 1 de octubre.

14. ¿Qué interés se reconocería a los Colegios Profesionales para intervenir en el procedimiento de homologación de títulos obtenidos en el extranjero?

a) Interés legítimo individual de cada uno de los profesionales que integran los Colegios Profesionales.
b) Derechos subjetivos de los poseedores de los títulos que van a ser objeto de homologación.
c) Intereses legítimos colectivos.
d) Intereses sociales.

15. La titular de un establecimiento de restauración en Benidorm, quiere solicitar al Ayuntamiento una autorización para proceder a la ocupación de un espacio de uso público con mesas, sillas y sombrillas para su negocio. ¿Tendrá la consideración de interesada en el procedimiento administrativo de autorización?

a) Sí, en aplicación del artículo 4.1.a) de la Ley 39/2015, de 1 de octubre.
b) Sí, en aplicación del artículo 4.1.b) de la Ley 39/2015, de 1 de octubre.
c) Sí, en aplicación del artículo 4.1.c) de la Ley 39/2015, de 1 de octubre.
d) Sí, en aplicación del artículo 4.2 de la Ley 39/2015, de 1 de octubre.

Solución al test n.º 8

1. d) A la capacidad de obrar.

2. c) Sí, para el ejercicio y defensa de aquellos de sus derechos e intereses cuya actuación esté permitida por el ordenamiento jurídico sin la asistencia de la persona que ejerza la patria potestad, tutela o curatela, aunque sean menores incapacitados, siempre que la extensión de la incapacitación no afecte al ejercicio y defensa de los derechos o intereses de que se trate.

3. c) Los hijos emancipados están bajo la patria potestad de los progenitores.

4. b) Los menores no emancipados que no estén bajo la patria potestad.

5. b) La función del curador es la de complementar la capacidad del menor en todos aquellos actos o negocios jurídicos que no puede realizar por sí mismo.

6. c) Siempre que la ley así lo declare expresamente.

7. a) Desde el instante mismo en que, con arreglo a derecho, hubiesen quedado válidamente constituidas.

8. a) Las personas físicas incapacitadas.

9. c) No; puede estar sujeta a curatela.

10. d) No.

11. b) Sí, en aplicación del artículo 4.1.b) de la Ley 39/2015, de 1 de octubre.

12. c) Sí, en aplicación del artículo 4.1.c) de la Ley 39/2015, de 1 de octubre.

13. b) Sí, en aplicación del artículo 4.1.b) de la Ley 39/2015, de 1 de octubre.

14. c) Intereses legítimos colectivos.

15. a) Sí, en aplicación del artículo 4.1.a) de la Ley 39/2015, de 1 de octubre.

TEST N.º 9

La Ley 39/2015, de 1 de octubre, del Procedimiento Administrativo Común de las Administraciones Públicas: Título III, De los actos administrativos; Título VI, De la iniciativa legislativa y de la potestad para dictar reglamentos y otras disposiciones

1. Señala la respuesta incorrecta. Según el artículo 35 de la Ley 39/2015, de 1 de octubre, de Procedimiento Administrativo Común de las Administraciones Públicas, serán motivados, con sucinta referencia de hechos y fundamentos de Derecho:

a) Los actos que limiten derechos subjetivos o intereses legítimos.
b) Los actos que resuelvan procedimientos de revisión de oficio de disposiciones o actos administrativos, recursos administrativos, reclamaciones previas a la vía judicial y procedimientos de arbitraje.
c) Los actos que se separen del criterio seguido en actuaciones precedentes o del dictamen de órganos consultivos.
d) Los actos declarativos de derechos.

2. De acuerdo con el artículo 39 de la Ley 39/2015, de 1 de octubre, de Procedimiento Administrativo Común de las Administraciones Públicas, con carácter general, los actos de las Administraciones Públicas sujetos al Derecho Administrativo se presumirán válidos y producirán efectos desde:

a) La fecha en que se dicten, salvo que en ellos se disponga otra cosa.
b) Su notificación.
c) Su publicación.
d) La aprobación superior.

3. En relación con las notificaciones en papel, de acuerdo con lo dispuesto en el artículo 42 de la Ley 39/2015, de 1 de octubre, de Procedimiento Administrativo Común de las Administraciones Públicas de los actos administrativos, señala la respuesta incorrecta:

a) Se notificarán a los interesados las resoluciones y actos administrativos que afecten a sus derechos e intereses.
b) Toda notificación deberá ser cursada dentro del plazo de diez días a partir de la fecha en que el acto haya sido dictado.

c) En los procedimientos iniciados a solicitud del interesado, la notificación se practicará en el domicilio del interesado. Cuando ello no fuera posible, en cualquier lugar adecuado a tal fin.

d) Cuando la notificación se practique en el domicilio del interesado, de no hallarse presente este en el momento de entregarse la notificación podrá hacerse cargo de la misma cualquier persona mayor de 14 años que se encuentre en el domicilio y haga constar su identidad.

4. Conforme al artículo 45 de la Ley 39/2015, de 1 de octubre, de Procedimiento Administrativo Común de las Administraciones Públicas, la publicación sustituirá a la notificación surtiendo sus mismos efectos en los siguientes casos:

a) Cuando el acto tenga por destinatario a una persona jurídica.

b) Cuando la Administración estime que la notificación efectuada a un solo interesado es insuficiente para garantizar la notificación a todos, siendo, en este último caso, adicional a la notificación efectuada.

c) En los procedimientos iniciados a solicitud del interesado.

d) Cuando la notificación se practique en el domicilio del interesado.

5. De acuerdo con el artículo 47 de la Ley 39/2015, de 1 de octubre, de Procedimiento Administrativo Común de las Administraciones Públicas, los actos de las Administraciones Públicas son nulos de pleno derecho en los casos siguientes:

a) Los actos de la Administración que incurran en cualquier infracción del ordenamiento jurídico.

b) Los actos dictados por órgano manifiestamente incompetente por razón de la jerarquía.

c) Los actos que tengan un contenido imposible.

d) Los actos de la Administración que incurran en desviación de poder.

6. Son anulables, de acuerdo con el artículo 48.1 de la Ley 39/2015, de 1 de octubre, de Procedimiento Administrativo Común de las Administraciones Públicas:

a) Los actos de la Administración que incurran en cualquier infracción del ordenamiento jurídico, incluso la desviación de poder.

b) Los actos dictados prescindiendo total y absolutamente del procedimiento legalmente establecido o de las normas que contienen las reglas esenciales para la formación de la voluntad de los órganos colegiados.

c) Los actos expresos o presuntos contrarios al ordenamiento jurídico por los que se adquieren facultades o derechos cuando se carezca de los requisitos esenciales para su adquisición.

d) Los actos dictados por órgano manifiestamente incompetente por razón de la materia.

7. Conforme con el artículo 48.2 de la Ley 39/2015, de 1 de octubre, de Procedimiento Administrativo Común de las Administraciones Públicas, el defecto de forma de los actos de las Administraciones Públicas solo determinará la anulabilidad:

a) Siempre.
b) Nunca.
c) Cuando el acto carezca de los requisitos formales, dando lugar a la indefensión de los interesados.
d) Cuando el acto administrativo se notifique fuera de plazo, no siendo esencial el término o plazo.

8. La Administración podrá convalidar los actos anulables, subsanando los vicios de que adolezcan. Si el vicio consistiera en incompetencia no determinante de nulidad, la convalidación podrá realizarse, de conformidad con el artículo 52.3 de la Ley 39/2015, de 1 de octubre, de Procedimiento Administrativo Común de las Administraciones Públicas, por:

a) El órgano competente cuando sea inferior jerárquico del que dictó el acto viciado.
b) El órgano competente cuando sea superior jerárquico del que dictó el acto viciado.
c) El órgano competente por razón de la materia.
d) El órgano competente por razón del territorio.

9. En relación con la forma de los actos administrativos, señala la respuesta incorrecta:

a) Los actos administrativos se producirán por escrito a través de medios electrónicos, a menos que su naturaleza exija otra forma más adecuada de expresión y constancia.
b) En los casos en que los órganos administrativos ejerzan su competencia de forma verbal, la constancia escrita del acto, cuando sea necesaria, se efectuará y firmará por el titular del órgano superior, expresando en la comunicación del mismo la autoridad de la que procede.
c) Si se tratara de resoluciones, el titular de la competencia deberá autorizar una relación de las que haya dictado de forma verbal, con expresión de su contenido.
d) Cuando deba dictarse una serie de actos administrativos de la misma naturaleza, tales como nombramientos, concesiones o licencias, podrán refundirse en un único acto.

10. Son actos anulables de acuerdo con el artículo 48 de la Ley 39/2015, de 1 de octubre, de Procedimiento Administrativo Común de las Administraciones Públicas:

a) Los de contenido imposible.
b) Los que carezcan de los requisitos formales indispensables para alcanzar su fin.
c) Los dictados prescindiendo total y absolutamente de los procedimientos legalmente establecidos para ellos.
d) Los dictados prescindiendo total y absolutamente del procedimiento establecido por las normas que contienen las reglas esenciales para la formación de la voluntad de los órganos colegiados.

11. De todas las resoluciones citadas a continuación, ¿cuáles de ellas no necesitarán ser motivadas?

a) Las que sigan el criterio seguido en actuaciones precedentes.
b) Los acuerdos de suspensión de actos.
c) Las que se dicten en el ejercicio de potestades discrecionales.
d) Las que resuelvan los recursos.

12. ¿En qué casos un defecto de forma determinará la anulabilidad del acto?

a) Cuando carezcan de los requisitos formales indispensables para alcanzar su fin o dé lugar a indefensión.
b) Cuando sean insubsanables.
c) Solo en los casos en los que se dé lugar a indefensión.
d) Solo cuando carezcan de los requisitos formales indispensables.

13. Señala la respuesta incorrecta. Cuando una Administración Pública tenga que dictar, en el ámbito de sus competencias, un acto que necesariamente tenga por base otro dictado por una Administración Pública distinta y aquella entienda que es ilegal:

a) Podrá requerir a la otra Administración previamente para que anule o revise el acto de acuerdo con lo dispuesto en el artículo 44 de la Ley 29/1998, de 13 de julio, reguladora de la Jurisdicción Contencioso-Administrativa.
b) Realizado el requerimiento y al ser rechazado este, podrá interponer recurso contencioso-administrativo.
c) Realizado el requerimiento y al ser rechazado este, podrá interponer recurso de revisión.
d) En estos casos, quedará suspendido el procedimiento para dictar resolución.

14. Las notificaciones administrativas por medios electrónicos requerirán para su validez:

a) El señalamiento explícito de dicho medio de notificación en el momento de iniciación del procedimiento.
b) El establecimiento de este sistema por medio de una norma de rango legal.
c) El acceso a su contenido, momento a partir del cual la notificación se entenderá practicada a todos los efectos legales.
d) El establecimiento de este sistema por medio de una norma de rango reglamentario.

15. Por regla general una notificación electrónica se entenderá rechazada con los efectos previstos en el artículo 43.2 de la Ley 39/2015, de 1 de octubre, del Procedimiento Administrativo Común de las Administraciones Públicas, cuando teniendo constancia de la puesta a disposición transcurran:

a) Diez días hábiles sin que se acceda a su contenido.
b) Diez días naturales desde que se accedió al contenido sin existir respuesta.

c) Diez días naturales sin que se acceda al contenido.
d) Quince días hábiles desde que se accedió al contenido sin existir respuesta.

Solución al test n.º 9

1. d) Los actos declarativos de derechos.

2. a) La fecha en que se dicten, salvo que en ellos se disponga otra cosa.

3. c) En los procedimientos iniciados a solicitud del interesado, la notificación se practicará en el domicilio del interesado. Cuando ello no fuera posible, en cualquier lugar adecuado a tal fin.

4. b) Cuando la Administración estime que la notificación efectuada a un solo interesado es insuficiente para garantizar la notificación a todos, siendo, en este último caso, adicional a la notificación efectuada.

5. c) Los actos que tengan un contenido imposible.

6. a) Los actos de la Administración que incurran en cualquier infracción del ordenamiento jurídico, incluso la desviación de poder.

7. c) Cuando el acto carezca de los requisitos formales, dando lugar a la indefensión de los interesados.

8. b) El órgano competente cuando sea superior jerárquico del que dictó el acto viciado.

9. b) En los casos en que los órganos administrativos ejerzan su competencia de forma verbal, la constancia escrita del acto, cuando sea necesaria, se efectuará y firmará por el titular del órgano superior, expresando en la comunicación del mismo la autoridad de la que procede.

10. b) Los que carezcan de los requisitos formales indispensables para alcanzar su fin.

11. a) Las que sigan el criterio seguido en actuaciones precedentes.

12. a) Cuando carezcan de los requisitos formales indispensables para alcanzar su fin o dé lugar a indefensión.

13. c) Realizado el requerimiento y al ser rechazado este, podrá interponer recurso de revisión.

14. c) El acceso a su contenido, momento a partir del cual la notificación se entenderá practicada a todos los efectos legales.

15. c) Diez días naturales sin que se acceda al contenido.

TEST N.º 10

La Ley 39/2015, de 1 de octubre, del Procedimiento Administrativo Común de las Administraciones Públicas: Título IV, De las disposiciones sobre el procedimiento administrativo común

1. Los que tuvieren la condición de interesados en un procedimiento administrativo, podrán conocer del estado de la tramitación del mismo:

a) En el trámite de audiencia.
b) En el trámite de información pública.
c) En cualquier momento
d) Solo cuando lo permita el instructor del procedimiento.

2. Las medidas provisionales adoptadas antes de la iniciación del procedimiento administrativo, deberán ser confirmadas, modificadas o levantadas en el acuerdo de iniciación del procedimiento, que deberá efectuarse:

a) Dentro de los quince días siguientes a su adopción, pudiendo ser recurrido.
b) Dentro de los veinte días siguientes a su adopción, pudiendo de ser recurrido.
c) Dentro de los diez días siguientes a su adopción, sin posibilidad de ser recurrido.
d) Dentro de los veinte días siguientes a su adopción, sin posibilidad de ser recurrido.

3. Cuando el acuerdo de iniciación del procedimiento no contenga un pronunciamiento expreso acerca de las medidas provisionales previas, dichas medidas:

a) Se mantendrán, hasta la fase de alegaciones.
b) Se mantendrán, salvo que haya recurso pendiente.
c) Se prorrogaran por quince días.
d) Quedarán sin efecto.

4. Los procedimientos de naturaleza sancionadora se iniciarán:

a) De oficio o a instancia de parte.
b) Siempre a instancia de parte.
c) Siempre de oficio.
d) En virtud de denuncia.

5. Si la solicitud de iniciación del procedimiento administrativo no reúne los requisitos recogidos en la Ley 39/2015 u otros exigidos por la legislación específica aplicable:

a) Se inadmitirá la solicitud presentada por el interesado.
b) Se le dará un plazo de cinco días para que vuelva a presentar la solicitud correctamente.
c) Se le dará un plazo de veinte días para que subsane la falta o acompañe los documentos preceptivos.
d) Se le dará un plazo de diez días para que subsane la falta o acompañe los documentos preceptivos.

6. ¿Suspenderá la tramitación del procedimiento las cuestiones incidentales que se susciten en el mismo?

a) No.
b) Sí.
c) No, salvo las que se refieran a la nulidad de actuaciones.
d) No, incluso las relativas a la recusación no se suspenderán.

7. Señala cuál de las siguientes no podrá adoptarse como medidas provisionales en un procedimiento administrativo:

a) Embargo preventivo de bienes.
b) Inmovilización de cosa mueble.
c) Retirada o intervención de bienes productivos.
d) Suspensión definitiva de actividades.

8. El interesado en el procedimiento administrativo tiene derecho:

a) A formular alegaciones y a utilizar los medios de defensa admitidos por el Ordenamiento Jurídico en cualquier fase del procedimiento.
b) A formular alegaciones, a utilizar los medios de defensa admitidos por el Ordenamiento Jurídico, y a aportar documentos en cualquier fase del procedimiento anterior al trámite de audiencia.
c) A formular alegaciones y a utilizar los medios de defensa admitidos por el Ordenamiento Jurídico en cualquier fase del procedimiento, pero solo podrá aportar documentos con posterioridad al trámite de audiencia.
d) A formular alegaciones y a utilizar los medios de defensa admitidos por el Ordenamiento Jurídico en cualquier fase del procedimiento anterior al dictado de la resolución por la que se pone fin al procedimiento.

9. Contra el acuerdo de acumulación de procedimientos:

a) Cabe recurso de revisión.
b) Cabe recurso extraordinario de revisión.
c) No cabe recurso alguno.
d) Cabe recurso de alzada.

10. Los procedimientos administrativos que no tengan naturaleza sancionadora se podrán iniciar:

a) Por acuerdo del órgano competente o a petición razonada de otros órganos.
b) Por acuerdo del órgano competente, bien por propia iniciativa o como consecuencia de orden superior, a petición razonada de otros órganos o por denuncia.
c) Por denuncia solamente.
d) De oficio siempre.

11. Cuando el procedimiento se iniciara por una denuncia en la que se invocara un perjuicio en el patrimonio de las Administraciones Públicas:

a) La no iniciación del procedimiento deberá ser motivada y se notificará a los denunciantes la decisión de si se ha iniciado o no el procedimiento.
b) La iniciación del procedimiento deberá ser motivada y no se notificará a los denunciantes, si el instructor lo considera oportuno.
c) La no iniciación del procedimiento quedará a la decisión del instructor, sin necesidad de motivarla, salvo a petición del denunciante.
d) La no iniciación del procedimiento nunca deberá ser motivada.

12. Los interesados podrán solicitar el inicio de un procedimiento de responsabilidad patrimonial:

a) Siempre.
b) Dentro de los cuatro años siguientes a aquel en que se produjo el acto que motiva la indemnización.
c) Si así se dispone por sentencia.
d) Cuando no haya prescrito su derecho a reclamar.

13. El plazo de subsanación de la solicitud de iniciación del procedimiento podrá ampliarse prudencialmente, cuando la aportación de los documentos requeridos presente dificultades especiales:

a) Hasta cinco días.
b) Hasta diez días.
c) Hasta quince días.
d) Siempre por diez días más.

14. En los procedimientos de naturaleza sancionadora, ¿cuál de los siguientes no es un derecho de los presuntos responsables?

a) A ser notificado de la identidad del instructor.
b) A saber quién es la autoridad competente para imponer la sanción.
c) A ser informado de sus derechos procesales penales.
d) A ser notificado de los hechos que se le imputen.

15. ¿Hay presunción de existencia de responsabilidad administrativa mientras no se demuestre lo contrario?

a) Sí, salvo excepciones.
b) Nunca.
c) Solo en los procedimientos de naturaleza sancionadora.
d) Siempre.

Solución al test n.º 10

1. c) En cualquier momento.

2. a) Dentro de los quince días siguientes a su adopción, pudiendo ser recurrido.

3. d) Quedarán sin efecto.

4. c) Siempre de oficio.

5. d) Se le dará un plazo de diez días para que subsane la falta o acompañe los documentos preceptivos.

6. a) No.

7. d) Suspensión definitiva de actividades.

8. b) A formular alegaciones, a utilizar los medios de defensa admitidos por el Ordenamiento Jurídico, y a aportar documentos en cualquier fase del procedimiento anterior al trámite de audiencia.

9. c) No cabe recurso alguno.

10. b) Por acuerdo del órgano competente, bien por propia iniciativa o como consecuencia de orden superior, a petición razonada de otros órganos o por denuncia.

11. a) La no iniciación del procedimiento deberá ser motivada y se notificará a los denunciantes la decisión de si se ha iniciado o no el procedimiento.

12. d) Cuando no haya prescrito su derecho a reclamar.

13. a) Hasta cinco días.

14. c) A ser informado de sus derechos procesales penales.

15. b) Nunca.

TEST N.º 11

La Ley 40/2015, de 1 de octubre, de Régimen Jurídico del Sector Público: Título Preliminar: Capítulo III, Principios de la potestad sancionadora. La Ley 39/2015, de 1 de octubre, del Procedimiento Administrativo Común de las Administraciones Públicas: Procedimiento para el ejercicio de la potestad sancionadora

1. Las infracciones administrativas se clasificarán por la Ley en:

a) Graves y leves.
b) Leves, graves y muy graves.
c) Leves, graves, menos graves y muy graves.
d) Muy graves, graves y menos graves.

2. En la determinación normativa del régimen sancionador, así como en la imposición de sanciones por las Administraciones Públicas se deberá observar la debida idoneidad y necesidad de la sanción a imponer y su adecuación a la gravedad del hecho constitutivo de la infracción. La graduación de la sanción considerará especialmente el siguiente criterio:

a) La naturaleza de los perjuicios causados.
b) El grado de culpabilidad o la existencia de intencionalidad.
c) La reincidencia, por comisión en el término de un año de más de una infracción de la misma naturaleza cuando así haya sido declarado por resolución firme en vía administrativa.
d) Todas las respuestas son correctas.

3. Cuando de la comisión de una infracción derive necesariamente la comisión de otra u otras, se deberá imponer:

a) Únicamente la sanción correspondiente a la infracción más grave cometida.
b) Únicamente la sanción correspondiente a la infracción más leve cometida.
c) Únicamente la sanción correspondiente a la primera infracción cometida.
d) Todas y cada una de las sanciones correspondientes a las infracciones cometidas.

4. Las infracciones y sanciones prescribirán según lo dispuesto en las leyes que las establezcan. Si estas no fijan plazos de prescripción, las infracciones muy graves prescribirán:

a) A los cinco años.
b) A los tres años.
c) Al año.
d) A los seis meses.

5. Las infracciones leves prescribirán:

a) Al año.
b) A los seis meses.
c) A los tres meses.
d) Al mes.

6. ¿Cuándo prescriben las sanciones impuestas por faltas graves?

a) A los cinco años.
b) A los tres años.
c) A los dos años.
d) Al año.

7. Señale la respuesta correcta respecto a la prescripción de las infracciones y sanciones:

a) El plazo de prescripción de las infracciones comenzará a contarse desde el día siguiente en que la infracción se hubiera cometido.

b) En el caso de infracciones continuadas o permanentes, el plazo comenzará a correr desde que finalizó la conducta infractora.

c) El plazo de prescripción de las sanciones comenzará a contarse desde el día siguiente a aquel en que sea ejecutable la resolución por la que se impone la sanción o haya transcurrido el plazo para recurrirla.

d) Interrumpirá la prescripción la iniciación, con conocimiento del interesado, del procedimiento de ejecución, volviendo a transcurrir el plazo si aquel está paralizado durante más de un mes por causa no imputable al infractor.

8. ¿En qué caso, las sanciones administrativas de naturaleza pecuniaria, podrán implicar privación de libertad?

a) Cuando la sanción sea por la comisión reiterada de infracciones muy graves.

b) Cuando la sanción sea consecuencia de una infracción muy grave que afecte al interés público general.

c) Cuando el infractor sea reincidente.

d) En ningún caso.

9. ¿Cuándo prescriben las sanciones impuestas por faltas muy graves?

a) A los cinco años.
b) A los tres años.
c) A los dos años.
d) Al año.

10. Con carácter general, las infracciones graves prescribirán:

a) Al año.
b) A los dos años.
c) A los tres años.
d) A los cinco años.

11. Interrumpirá la prescripción de la infracción, la iniciación, con conocimiento del interesado, de un procedimiento administrativo de naturaleza sancionadora, reiniciándose el plazo de prescripción si el expediente sancionador estuviera paralizado durante:

a) Un mes por causa no imputable al presunto responsable.
b) Más de un mes por causa no imputable al presunto responsable.
c) Más de quince días por causa no imputable al presunto responsable.
d) Más de veinte días por causa no imputable al presunto responsable.

12. El artículo 31 de la LPACAP, respecto a las sanciones, en los casos en que se aprecie identidad del sujeto, hecho y fundamento, se dispone que:

a) Podrán sancionarse los hechos que lo hayan sido penal o administrativamente.
b) No podrán sancionarse los hechos en ningún caso.
c) Sólo podrán sancionarse los hechos que lo hayan sido penalmente.
d) No podrán sancionarse los hechos que lo hayan sido penal o administrativamente.

13. Una disposición administrativa sancionadora puede tener efectos retroactivos:

a) Respecto de todo tipo de infracciones.
b) En ningún caso, al contravenir los preceptos constitucionales.
c) Cuando favorezca al presunto infractor.
d) Siempre.

14. La aplicación analógica en materia sancionadora:

a) Sirve para cubrir las lagunas legales existentes.
b) Se admite cuando favorezca al presunto infractor.
c) Está expresamente prohibida.
d) Significa que, ante la ausencia de una norma administrativa regulando expresamente el tema de que se trate, se aplican los principios del Derecho Penal.

15. En caso de que se incumpla una obligación legal, debiendo hacerlo varias personas conjuntamente, la responsabilidad que se deriva es:

a) Mancomunada.
b) Subsidiaria.
c) Solidaria.
d) Del más cualificado.

Solución al test n.º 11

1. b) Leves, graves y muy graves.

2. d) Todas las respuestas son correctas.

3. a) Únicamente la sanción correspondiente a la infracción más grave cometida.

4. b) A los tres años.

5. b) A los seis meses.

6. c) A los dos años.

7. a) El plazo de prescripción de las infracciones comenzará a contarse desde el día siguiente en que la infracción se hubiera cometido.

8. d) En ningún caso.

9. b) A los tres años.

10. b) A los dos años.

11. b) Más de un mes por causa no imputable al presunto responsable.

12. d) No podrán sancionarse los hechos que lo hayan sido penal o administrativamente.

13. c) Cuando favorezca al presunto infractor.

14. c) Está expresamente prohibida.

15. c) Solidaria.

E. Función Pública

TEST N.º 12

La Ley 4/2021, de 16 de abril, de la Función Pública Valenciana: Título I, Objeto, principios y ámbito de aplicación de la Ley; Título III, Personal al servicio de las Administraciones Públicas; Título V, Nacimiento y extinción de la relación de servicio; Título VI, Derechos, deberes e incompatibilidades del personal empleado público

1. Según el artículo 2 de la Ley 4/2021, uno de los principios informadores de esta ley es la objetividad, profesionalidad, transparencia, integridad, imparcialidad y:

a) Austeridad.
b) Jerarquía.
c) Coordinación.
d) Participación.

2. Sin perjuicio de que puedan dictarse disposiciones reglamentarias específicas para adecuarla a las peculiaridades propias del sector, la Ley 4/2021 se aplicará:

a) Al personal investigador al servicio de la Generalitat.
b) Al personal funcionario o laboral empleado público gestionado por la conselleria competente en materia de sanidad.
c) Al personal al servicio de las Corts Valencianes.
d) Los consorcios adscritos a la Generalitat.

3. ¿Cuáles son los dos tipos de funcionarios que contempla la Ley 4/2021, de 16 de abril, de la Función Pública Valenciana?

a) Fijos y temporales.
b) Civiles y militares.
c) De carrera e interinos.
d) Profesionales y de prácticas.

4. Según el artículo 18 de la Ley 4/2021, una de las circunstancias que puede dar lugar al nombramiento de personal interino es:

a) La existencia de puestos de trabajo vacantes cuando no sea posible su cobertura por personal funcionario de carrera, por un máximo de dos años.
b) La sustitución transitoria de la persona titular de un puesto de trabajo, durante un máximo de seis meses.
c) La ejecución de programas de carácter temporal, con una duración, en ningún caso, superior a dos años.
d) El exceso o acumulación de tareas, de carácter excepcional y circunstancial, por un plazo máximo de nueve meses dentro de un período de dieciocho meses.

5. Los funcionarios interinos serán nombrados por razones expresamente justificadas de necesidad y:

a) Economía.
b) Eficacia.
c) Urgencia.
d) Calidad.

6. El personal laboral al servicio de la Administración de la Generalitat Valenciana no puede desempeñar puestos:

a) Correspondientes a áreas de actividades que requieran conocimientos técnicos especializados.
b) En el extranjero con funciones administrativas de trámite y colaboración y auxiliares, aunque comporten manejo de máquinas, archivo y similares.
c) Cuyas actividades sean propias de oficios.
d) Que impliquen la participación directa o indirecta en la salvaguardia de los intereses generales del Estado y de las Administraciones Públicas.

7. En relación al personal eventual al servicio de la Generalitat Valenciana, es cierto que:

a) La prestación de servicios como personal eventual constituirá mérito para el acceso al empleo público.
b) El personal eventual puede realizar actividades ordinarias de gestión o de carácter técnico.
c) Realiza con carácter permanente funciones expresamente calificadas como de confianza o asesoramiento especial.
d) Cesará automáticamente cuando cese la autoridad a la que presta su función asesora o de confianza.

8. El número de puestos en la Administración de la Generalitat Valenciana cubiertos por personal eventual:

a) Es indefinido e ilimitado.
b) Está limitado por un máximo establecido por el Consell.
c) Está limitado a tres por cada órgano superior de la Administración Pública.
d) No puede hacerse público, puesto que se trata de personal de confianza.

9. En relación al acceso de personal funcionario de carrera a la Dirección Pública Profesional en la Administración de la Generalitat, es cierto que:

a) Solo podrán acceder quienes pertenezcan a cualquiera de los cuerpos o escalas del Grupo A.
b) Es necesario tener una antigüedad en el Grupo A de al menos 10 años.
c) Es imprescindible ser personal funcionario de carrera de la Administración de la Generalitat.
d) Se requiere tener reconocido, al menos, un nivel competencial 24 y el grado de desarrollo profesional II.

10. No es cierto que, la relación de puestos de trabajo específica de la Dirección Pública Profesional:

a) Se incluirá en la misma relación con la totalidad de puestos de trabajo de naturaleza funcionarial, laboral y eventual.
b) Tendrá carácter público.
c) Será publicada en el Diari Oficial de la Generalitat Valenciana.
d) No es materia obligatoria de negociación colectiva.

11. Según el artículo 25 de la Ley 4/2021, el procedimiento de nombramiento del personal directivo público profesional atenderá a los principios de publicidad, mérito y capacidad, así como al de:

a) Transparencia.
b) Idoneidad.
c) Economía.
d) Participación.

12. Respecto a las condiciones de empleo del personal directivo público profesional de la Generalitat Valenciana, es cierto que:

a) Tendrá la consideración de alto cargo.
b) El cese en los puestos que integran la dirección pública profesional tendrá carácter discrecional, con derecho a indemnización.

c) Las retribuciones del personal que desempeñe puestos que integran la Dirección Pública Profesional tendrán una parte fija, en los mismos términos y condiciones que las previstas para el personal funcionario de carrera, y un complemento de actividad profesional.

d) La determinación de las condiciones de empleo del personal directivo público profesional será fijada por el Consell, no teniendo la consideración de materia obligatoria objeto de negociación colectiva.

13. Según el artículo 60.2 de la Ley 4/2021, en los procedimientos de selección de personal, todos los programas de materias deberán incluir contenidos sobre:

a) La protección de datos de carácter personal.
b) La prevención y erradicación de la violencia de género.
c) El principio de igualdad efectiva de mujeres y hombres en los diversos ámbitos de la función pública.
d) La transparencia de la actividad pública.

14. ¿Cuál es la edad mínima para poder participar en los procesos selectivos de acceso al empleo público de la Administración de la Generalitat Valenciana?

a) 14 años.
b) 16 años.
c) 17 años.
d) 18 años.

15. El artículo 64 de la Ley 4/2021, establece que, en todas las ofertas de empleo público se reservará un cupo de las vacantes para ser cubiertas entre personas con discapacidad o diversidad funcional, no inferior al:

a) 3% de las vacantes.
b) 5% de las vacantes.
c) 7% de las vacantes.
d) 10% de las vacantes.

Solución al test n.º 12

1. a) Austeridad.

2. b) Al personal funcionario o laboral empleado público gestionado por la conselleria competente en materia de sanidad.

3. c) De carrera e interinos.

4. d) El exceso o acumulación de tareas, de carácter excepcional y circunstancial, por un plazo máximo de nueve meses dentro de un período de dieciocho meses.

5. c) Urgencia.

6. d) Que impliquen la participación directa o indirecta en la salvaguardia de los intereses generales del Estado y de las Administraciones Públicas.

7. d) Cesará automáticamente cuando cese la autoridad a la que presta su función asesora o de confianza.

8. b) Está limitado por un máximo establecido por el Consell.

9. d) Se requiere tener reconocido, al menos, un nivel competencial 24 y el grado de desarrollo profesional II.

10. a) Se incluirá en la misma relación con la totalidad de puestos de trabajo de naturaleza funcionarial, laboral y eventual.

11. a) Transparencia.

12. d) La determinación de las condiciones de empleo del personal directivo público profesional será fijada por el Consell, no teniendo la consideración de materia obligatoria objeto de negociación colectiva.

13. c) El principio de igualdad efectiva de mujeres y hombres en los diversos ámbitos de la función pública.

14. b) 16 años.

15. d) 10% de las vacantes.

TEST N.º 13

El Decreto 42/2019, de 22 de marzo, del Consell, de regulación de las condiciones de trabajo del personal funcionario de la Administración de la Generalitat

1. A efectos del Decreto 42/2019, de 22 de marzo, del Consell, de regulación de las condiciones de trabajo del personal funcionario de la Administración de la Generalitat, la relación de dependencia que implica convivencia se define como:

a) Guarda legal o custodia.
b) Tener a su cargo.
c) Cuidado directo.
d) Relación de dependencia.

2. El horario de permanencia obligatoria del personal podrá flexibilizarse en dos horas diarias a solicitud de las personas interesadas en el caso de ser padre o madre de familia monoparental, hasta el día en que cumpla el o la menor de los hijos o hijas:

a) 12 años de edad.
b) 14 años de edad.
c) 15 años de edad.
d) 16 años de edad.

3. La duración de la jornada del personal que desempeñe puestos de trabajo considerados de especial dedicación será de:

a) Treinta y siete horas semanales.
b) Treinta y siete horas y treinta minutos semanales.
c) Treinta y cinco horas y treinta minutos semanales.
d) Treinta y cinco horas semanales.

4. La jornada laboral general del personal que desempeñe puestos de trabajo con componente de desempeño del complemento de puesto de trabajo inferior a los establecidos para el personal que desempeñe puestos de trabajo considerados de especial dedicación será de:

a) Treinta y siete horas semanales.
b) Treinta y siete horas y treinta minutos semanales.

c) Treinta y cinco horas y treinta minutos semanales.
d) Treinta y cinco horas semanales.

5. En todo caso, entre el final de una jornada y el comienzo de la siguiente mediarán, como mínimo:

a) Veinticuatro horas.
b) Dieciocho horas.
c) Quince horas.
d) Doce horas.

6. Señala la respuesta correcta:

a) El cómputo anual de la jornada se calculará descontando a las horas anuales equivalentes a 52 semanas y un día de trabajo 12 días de fiestas de ámbito superior.

b) El cómputo anual de la jornada se calculará descontando a las horas anuales equivalentes a 52 semanas y un día de trabajo 8 días por permiso por asuntos propios más los días compensatorios que puedan aprobarse, en su caso.

c) El cómputo anual de la jornada se calculará descontando a las horas anuales equivalentes a 52 semanas y un día de trabajo 3 días de fiestas locales.

d) El cómputo anual de la jornada se calculará descontando a las horas anuales equivalentes a 52 semanas y un día de trabajo 21 días hábiles de vacaciones.

7. Durante la semana de fiestas locales correspondiente a cada emplazamiento, el horario de servicio de información administrativa general y registro de documentos que regirá será de:

a) 08.00h a 14.00h, de lunes a viernes.
b) 09.00h a 15.00h, de lunes a viernes.
c) 09.00h a 14.00h, de lunes a viernes.
d) 09.30h a 14.30h, de lunes a viernes.

8. Se tendrá derecho a la reducción de jornada hasta la mitad de la misma, con disminución proporcional de retribuciones por razones de guarda legal, cuando el personal tenga a su cargo:

a) Algún niño o niña, persona que requiera especial dedicación, o persona con un grado de discapacidad física, psíquica o sensorial igual o superior al 33 % que no desempeñe actividad retribuida que supere el salario mínimo interprofesional.

b) Algún niño o niña de 12 años o menor, persona que requiera especial dedicación, o persona con un grado de discapacidad física, psíquica o sensorial igual o superior al 30 % que no desempeñe actividad retribuida que supere el salario mínimo interprofesional.

c) Algún niño o niña de 12 años o menor, persona mayor que requiera especial dedicación, o persona con un grado de discapacidad física, psíquica o sensorial igual o superior al 33 % que no desempeñe actividad retribuida que supere el salario mínimo interprofesional.

d) Algún niño o niña, persona mayor que requiera especial dedicación, o persona con un grado de discapacidad física, psíquica o sensorial igual o superior al 35 % que no desempeñe actividad retribuida que supere el salario mínimo interprofesional.

9. El personal que ocupe puestos de trabajo con componente de desempeño del complemento de puesto de trabajo que comporten una jornada de 35 horas semanales, podrá solicitar una jornada reducida, continua e ininterrumpida de las 9 a las 14 horas, o las equivalentes si el puesto desempeñado está sujeto a turnos, percibiendo:

a) Un 80 % del total de sus retribuciones.
b) Un 75 % del total de sus retribuciones.
c) Un 70 % del total de sus retribuciones.
d) Un 65 % del total de sus retribuciones.

10. Se podrá solicitar reducción de jornada de una hora diaria sin disminución de retribuciones en el caso de guarda legal de niñas o niños de 12 años o menores, cuando concurra alguno de los siguientes supuestos:

a) Que se trate de familia monoparental.
b) Que el menor requiera especial dedicación.
c) Que la niña o niño tenga 3 años o menos.
d) Todas las respuestas son correctas.

11. Cuando el personal se reincorpore al servicio efectivo tras la finalización de un tratamiento oncológico podrá solicitar:

a) Durante el plazo máximo de tres meses desde la fecha del alta médica, una reducción de hasta el 25 % de la jornada sin reducción de haberes.

b) Durante el plazo máximo de dos meses desde la fecha del alta médica, una reducción de hasta el 50 % de la jornada sin reducción de haberes.

c) Durante el plazo máximo de un mes desde la fecha del alta médica, una reducción de hasta el 30 % de la jornada sin reducción de haberes.

d) Durante el plazo máximo de un mes desde la fecha del alta médica, una reducción de hasta el 25 % de la jornada sin reducción de haberes.

12. Sin perjuicio de su acreditación por cualquiera de los medios admitidos en Derecho, con carácter general la condición de familia monoparental se acreditará mediante:

a) El libro o libros de familia.
b) El título correspondiente expedido por la Conselleria con competencias en la materia.
c) Certificación del Registro Civil.
d) Certificado de empadronamiento expedido por el ayuntamiento de residencia.

13. Respecto a las reducciones de jornada, el personal deberá informar al órgano competente en materia de personal que se reincorporará a su jornada ordinaria con una antelación a la misma de:

a) Un mes.
b) Veinte días.
c) Quince días.
d) Diez días.

14. El personal cuyo centro de trabajo radique en la ciudad de Valencia o en aquellos otros municipios de la provincia donde se celebren fiestas de fallas quedará exento de la asistencia al trabajo el día:

a) 19 de marzo.
b) 18 de marzo.
c) 15 de marzo.
d) 12 de marzo.

15. El horario de trabajo durante la semana de fiestas de cada municipio de la Comunidad Valenciana en que radique el puesto de trabajo será de:

a) 09.30 a 13.30 horas.
b) 09.30 a 14.00 horas.
c) 09.00 a 14.00 horas.
d) 09.00 a 13.30 horas.

Solución al test n.º 13

1. c) Cuidado directo.

2. c) 15 años de edad.

3. b) Treinta y siete horas y treinta minutos semanales.

4. d) Treinta y cinco horas semanales.

5. d) Doce horas.

6. a) El cómputo anual de la jornada se calculará descontando a las horas anuales equivalentes a 52 semanas y un día de trabajo 12 días de fiestas de ámbito superior.

7. c) 09.00h a 14.00h, de lunes a viernes.

8. c) Algún niño o niña de 12 años o menor, persona mayor que requiera especial dedicación, o persona con un grado de discapacidad física, psíquica o sensorial igual o superior al 33 % que no desempeñe actividad retribuida que supere el salario mínimo interprofesional.

9. b) Un 75 % del total de sus retribuciones.

10. d) Todas las respuestas son correctas.

11. d) Durante el plazo máximo de un mes desde la fecha del alta médica, una reducción de hasta el 25 % de la jornada sin reducción de haberes.

12. b) El título correspondiente expedido por la Conselleria con competencias en la materia.

13. c) Quince días.

14. b) 18 de marzo.

15. c) 09.00 a 14.00 horas.

F. Materias Transversales

TEST N.º 14

La Ley Orgánica 3/2007, de 22 de marzo, para la Igualdad Efectiva de Mujeres y Hombres: Título preliminar, Objeto y ámbito de la Ley; Título I, El principio de igualdad y la tutela contra la discriminación; La Ley 9/2003, de 2 de abril, de la Generalitat, para la igualdad de mujeres y hombres. Ley 4/2023, de 28 de febrero, para la igualdad real y efectiva de las personas trans y para la garantía de los derechos de las personas LGTBI: Deber de protección; Medidas en el ámbito administrativo. La Ley Orgánica 1/2004, de 28 de diciembre, de Medidas de Protección Integral contra la Violencia de Género: Título preliminar

1. ¿Qué artículo de la Constitución proclama que los españoles son iguales ante la ley, sin que pueda prevalecer discriminación alguna por razón de nacimiento, raza, sexo, religión, opinión o cualquier otra condición o circunstancia personal o social?

a) Artículo 9.
b) Artículo 11.
c) Artículo 14.
d) Artículo 18.

2. ¿Qué artículo de la Constitución Española consagra la igualdad de todos los españoles ante la ley?

a) El artículo 8.
b) El artículo 14.
c) El artículo 21.
d) El artículo 27.

3. Según el artículo 9.2: de la Constitución, "corresponde a los poderes públicos .... las condiciones para que la libertad y la igualdad del individuo y de los grupos en que se integra sean reales y efectivas; .... los obstáculos que impidan o dificulten su plenitud y .... la participación de todos los ciudadanos en la vida política, económica, cultural y social.". ¿Qué tres verbos faltan en la anterior frase?

a) Promover, remover y facilitar.
b) Impulsar, superar y posibilitar.

c) Crear, eliminar y alentar.
d) Facilitar, disminuir y promover.

4. La ley que regula a nivel estatal la igualdad efectiva de mujeres y hombres, es:

a) La Ley 3/2007, de 12 de marzo.
b) La Ley Orgánica 22/2007, de 3 de abril.
c) La Ley Orgánica 3/2007, de 22 de marzo.
d) El Decreto Legislativo 7/2003, de 23 de mayo.

5. El objeto y el ámbito de aplicación de la Ley estatal para la Igualdad efectiva entre Mujeres y Hombres vienen recogidos en su:

a) Disposición Final Primera.
b) Disposición Adicional Primera.
c) Título Primero.
d) Título Preliminar.

6. Según su artículo 1, la LO 3/2007 tiene por objeto hacer efectivo el derecho de:

a) Conciliación de la vida laboral y familiar de mujeres y hombres.
b) Igualdad de trato y de oportunidades entre mujeres y hombres.
c) Participación en los asuntos públicos en igualdad de condiciones.
d) No discriminación por razón de sexo.

7. Las obligaciones establecidas en la LO 3/2007 son de aplicación a:

a) A toda persona, física o jurídica, que se encuentre o actúe en territorio español, cualquiera que fuese su nacionalidad, domicilio o residencia.

b) A todos los ciudadanos españoles, ya sea en territorio español o territorio de cualquier país extranjero.

c) A toda persona, física o jurídica, que se encuentre o actúe en territorio español, con nacionalidad española.

d) A toda persona, física o jurídica, que resida en territorio español, cualquiera que fuese su nacionalidad.

8. La LO 3/2007 entró en vigor el 24 de marzo de 2007, con una excepción que entró en vigor el 31 de diciembre de 2008:

a) Lo previsto en el artículo 19 sobre la obligatoriedad de los proyectos de disposiciones de carácter general de incorporar un informe sobre su impacto por razón de género.

b) Lo previsto en el artículo 44.3, referente al reconocimiento a los padres del derecho a un permiso y una prestación por paternidad.

c) Lo previsto en el artículo 49, sobre la implantación de planes de igualdad en las pequeñas y medianas empresas.

d) Lo previsto en el artículo 71.2, referente a costes relacionados con el embarazo y el parto en contratos de seguros o servicios financieros.

9. Según el texto literal del artículo 3 de la LO 3/2007, el principio de igualdad de trato entre mujeres y hombres no resulta aplicable a cualquier discriminación, directa o indirecta, por razón de sexo, y especialmente, las derivadas de:

a) La maternidad.
b) La tendencia sexual.
c) La asunción de obligaciones familiares.
d) El estado civil.

10. Según el artículo 4 de la LO 3/2007, la igualdad de trato y de oportunidades entre mujeres y hombres:

a) Es un deber de las Administraciones Públicas.
b) Es una fuente formal del Derecho.
c) Es un principio informador del ordenamiento jurídico.
d) Es un objetivo fundamental del procedimiento administrativo.

11. El principio de igualdad de trato y de oportunidades entre mujeres y hombres:

a) Solo se aplica en el ámbito del empleo público.
b) Se garantizará incluso en el acceso al trabajo por cuenta propia.
c) No se aplica en la afiliación y participación en organizaciones sindicales o empresariales.
d) Se garantizará en los términos que prevean los convenios colectivos.

12. La situación en que se encuentra una persona que sea, haya sido o pudiera ser tratada, en atención a su sexo, de manera menos favorable que otra en situación comparable se considera:

a) Discriminación directa.
b) Acoso sexual.
c) Discriminación indirecta.
d) Violencia de género.

13. Una diferencia de trato basada en una característica relacionada con el sexo, ¿constituye discriminación en el acceso al empleo?

a) Sí, en todo caso.
b) No, siempre que la formación necesaria se base en dicha característica.

c) No, siempre que dicha característica constituya un requisito profesional esencial y determinante.

d) No, si debido a la naturaleza de las actividades profesionales concretas o al contexto en el que se lleven a cabo, dicha característica constituye un requisito profesional esencial y determinante, siempre y cuando el objetivo sea legítimo y el requisito proporcionado.

14. En virtud del artículo 6.2 de la LO 3/2007, la situación en que una disposición, criterio o práctica aparentemente neutros pone a personas de un sexo en desventaja particular con respecto a personas del otro:

a) En cualquier caso constituirá discriminación directa.

b) En cualquier caso constituirá discriminación indirecta.

c) No se considera discriminación indirecta si dicha disposición, criterio o práctica pueden justificarse objetivamente en atención a una finalidad legítima y los medios para alcanzar dicha finalidad son necesarios y adecuados.

d) En ningún caso podrá considerarse discriminación.

15. Conforme al artículo 6.3 de la LO 3/2007, toda orden de discriminar por razón de sexo:

a) Solo se considera discriminatoria si se ordena discriminar directamente.

b) En ningún caso se puede considerar discriminatoria.

c) Solo se considera discriminatoria si ordena una discriminación indirecta.

d) En cualquier caso se considera discriminatoria, sea directa o indirecta.

Solución al test n.º 14

1. c) Artículo 14.

2. b) El artículo 14.

3. a) Promover, remover y facilitar.

4. c) La Ley Orgánica 3/2007, de 22 de marzo.

5. d) Título Preliminar.

6. b) Igualdad de trato y de oportunidades entre mujeres y hombres.

7. a) A toda persona, física o jurídica, que se encuentre o actúe en territorio español, cualquiera que fuese su nacionalidad, domicilio o residencia.

8. d) Lo previsto en el artículo 71.2, referente a costes relacionados con el embarazo y el parto en contratos de seguros o servicios financieros.

9. b) La tendencia sexual.

10. c) Es un principio informador del ordenamiento jurídico.

11. b) Se garantizará incluso en el acceso al trabajo por cuenta propia.

12. a) Discriminación directa.

13. d) No, si debido a la naturaleza de las actividades profesionales concretas o al contexto en el que se lleven a cabo, dicha característica constituye un requisito profesional esencial y determinante, siempre y cuando el objetivo sea legítimo y el requisito proporcionado.

14. c) No se considera discriminación indirecta si dicha disposición, criterio o práctica pueden justificarse objetivamente en atención a una finalidad legítima y los medios para alcanzar dicha finalidad son necesarios y adecuados.

15. d) En cualquier caso se considera discriminatoria, sea directa o indirecta.

TEST N.º 15

Ley 19/2013, de 9 de diciembre, de Transparencia, acceso a la información pública y buen gobierno: Título Preliminar; Título I, Transparencia de la actividad pública. La Ley 1/2022, de 13 de abril, de la Generalitat, de Transparencia y Buen Gobierno de la Comunitat Valenciana

1. La cualidad que permite y facilita el acceso de los ciudadanos a la información pública en poder de la Administración dentro de los límites establecidos por la legislación vigente, se conoce como:

a) Accesibilidad.
b) Transparencia.
c) Objetividad.
d) Buen gobierno.

2. En el Capítulo I del Título I: "Transparencia de la actividad pública" de la Ley 19/2013, concretamente en el art. 3, se señala que serán objeto de aplicación de las disposiciones las entidades privadas:

a) En cuyo capital social la participación, directa o indirecta, sea superior al 50 por 100.

b) Que perciban durante el período de un año ayudas o subvenciones públicas en una cuantía superior a 100.000 euros o cuando al menos el 40% del total de sus ingresos anuales tengan carácter de ayuda o subvención pública, siempre que alcancen como mínimo la cantidad de 5.000 euros.

c) Con personalidad jurídica propia, vinculadas a cualquiera de las Administraciones Públicas o dependientes de ellas.

d) Que tengan atribuidas funciones de regulación o supervisión de carácter externo sobre un determinado sector o actividad.

3. En el ámbito de la Administración General del Estado, ¿a quién corresponde la evaluación del cumplimiento de los planes y programas anuales y plurianuales que las administraciones públicas deben publicar?

a) Ministerio para la Transformación Digital y de la Función Pública.
b) Tribunal de Cuentas.

c) Instituto Nacional para las Administraciones Públicas (INAP).
d) Inspecciones Generales de Servicios.

4. El Portal de la Transparencia contendrá información publicada de acuerdo con las prescripciones técnicas que se establezcan reglamentariamente que deberán adecuarse a los siguientes principios. Señala la respuesta incorrecta:

a) Accesibilidad.
b) Interoperabilidad.
c) Control.
d) Reutilización.

5. ¿Qué título de la Ley 19/2013 regula todo lo relativo a la "Transparencia de la actividad pública"?

a) Título I.
b) Título II.
c) Título III.
d) Título IV.

6. El cumplimiento de las obligaciones derivadas de la Ley 19/2013, de 9 de diciembre, de transparencia, acceso a la información pública y buen gobierno, podrá realizarse utilizando los medios electrónicos puestos a su disposición por la Administración Pública de la que provenga la mayor parte de las ayudas o subvenciones públicas percibidas cuando se trate de entidades sin ánimo de lucro que persigan exclusivamente fines de interés social o cultural y cuyo presupuesto sea inferior a:

a) 50.000 euros.
b) 100.000 euros.
c) 200.000 euros.
d) 250.000 euros.

7. Según lo previsto en el artículo 18 de la Ley 19/2013, de 9 de diciembre, de transparencia, acceso a la información pública y buen gobierno, se inadmitirán a trámite, mediante resolución motivada, las solicitudes de acceso a la información:

a) Relativas a los intereses económicos y turísticos.
b) Relativas a la garantía de la confidencialidad o el secreto requerido en procesos de toma de decisión.
c) Relativas a información para cuya divulgación sea necesaria una acción previa de reelaboración.
d) Relativas a infraestructuras críticas.

8. El acceso a la información pública requiere:

a) Solicitud previa.
b) Acreditación de la condición de interesado.

c) Motivación expresa.
d) La utilización de medios telemáticos.

9. Cuando la información pública solicitada no contuviera datos especialmente protegidos, el órgano al que se dirija la solicitud concederá el acceso previa .... suficientemente razonada del interés público en la divulgación de la información y los derechos de los afectados cuyos datos aparezcan en la información solicitada, en particular su derecho fundamental a la protección de datos de carácter personal. Señala la palabra que falta:

a) Catalogación.
b) Acreditación.
c) Ponderación.
d) Identificación.

10. Según el artículo 7 de la Ley 19/2013, de 9 de diciembre, de transparencia, acceso a la información pública y buen gobierno, relativo a la información de relevancia jurídica:

a) Las Administraciones Públicas, en el ámbito de sus competencias, publicarán los proyectos de Reglamento cuya iniciativa les corresponda.
b) Las Administraciones Públicas, en el ámbito de sus competencias, no publicarán los proyectos de Reglamento cuya iniciativa les corresponda.
c) Las Administraciones Públicas, en el ámbito de sus competencias, no podrán publicar los Anteproyectos de Ley hasta su aprobación.
d) Las Administraciones Públicas no podrán publicar los proyectos de Decretos Legislativos cuando se soliciten los dictámenes a los órganos consultivos.

11. La Ley 19/2013 destaca tres ejes fundamentales de toda acción política. Señala cuál de los siguientes no es correcto:

a) La transparencia.
b) El acceso a la información pública.
c) Las normas de buen gobierno.
d) Las incompatibilidades.

12. El título I de la Ley 19/2013 regula e incrementa la transparencia de la actividad de todos los sujetos que prestan servicios públicos o ejercen potestades administrativas mediante un conjunto de previsiones que se recogen en dos capítulos diferenciados y desde una doble perspectiva: el derecho de acceso a la información pública y:

a) Los conflictos de intereses.
b) La publicidad activa.
c) La austeridad.
d) Los principios de actuación.

13. Según la Ley 19/2013, de 9 de diciembre, de Transparencia, Acceso a la Información Pública y Buen Gobierno, el derecho de acceso podrá ser limitado cuando acceder a la información suponga un perjuicio para:

a) La seguridad pública.
b) La igualdad de las partes en los procesos judiciales y la tutela judicial efectiva.
c) La política económica y monetaria.
d) Todo lo anterior.

14. La motivación de una solicitud de acceso a la información, según la Ley 19/2013:

a) Es requisito ineludible para que se facilite la información.
b) Será causa de rechazo de la solicitud.
c) Las dos respuestas anteriores son ciertas.
d) Se deja a la decisión del solicitante.

15. La transparencia de la actividad pública, respecto a la casa de su Majestad el Rey:

a) No se aplica.
b) Se aplica en todas sus actividades.
c) Se aplica en sus actividades sujetas al Derecho Administrativo.
d) Se aplica solo en sus actividades de índole política.

Solución al test n.º 15

1. b) Transparencia.

2. b) Que perciban durante el período de un año ayudas o subvenciones públicas en una cuantía superior a 100.000 euros o cuando al menos el 40 % del total de sus ingresos anuales tengan carácter de ayuda o subvención pública, siempre que alcancen como mínimo la cantidad de 5.000 euros.

3. d) Inspecciones Generales de Servicios.

4. c) Control.

5. a) Título I.

6. a) 50.000 euros.

7. c) Relativas a información para cuya divulgación sea necesaria una acción previa de reelaboración.

8. a) Solicitud previa.

9. c) Ponderación.

10. a) Las Administraciones Públicas, en el ámbito de sus competencias, publicarán los proyectos de Reglamento cuya iniciativa les corresponda.

11. d) Las incompatibilidades.

12. b) La publicidad activa.

13. d) Todo lo anterior.

14. d) Se deja a la decisión del solicitante.

15. c) Se aplica en sus actividades sujetas al Derecho Administrativo.

PARTE ESPECIAL

TEST N.º 1

Legislación educativa en Educación Infantil. Ley Orgánica 2/2006, de 3 de mayo, de Educación. Decreto 100/2022, de 29 de julio, del Consell, por el que se establece la ordenación y el currículum de Educación Infantil. Decreto 253/2019, de 29 de noviembre, del Consell, de regulación de la organización y el funcionamiento de los centros públicos que imparten enseñanzas de Educación Infantil o de Educación Primaria. Orden 21/2019, de 30 de abril, de la Conselleria de Educación, Investigación, Cultura y Deporte, por la que se regula la organización y el funcionamiento de las escuelas infantiles de primer ciclo de titularidad pública

1. Los principios generales de la Educación Infantil en el texto consolidado de la LOE y la LOMLOE están en el artículo:

a) Artículo 10.
b) Artículo 11.
c) Artículo 12.
d) Artículo 13.

2. Según el artículo 91 del texto consolidado de la LOE y la LOMLOE, todas las siguientes son funciones del profesorado excepto:

a) La coordinación de las actividades docentes, de gestión y de dirección que les sean encomendadas.
b) La promoción, organización y participación en las actividades complementarias.
c) La información periódica a las familias sobre el proceso de aprendizaje de sus hijos e hijas.
d) La coordinación con el equipo docente y órganos de gobierno.

3. El decreto que regula el currículo de Educación Infantil para la Comunidad Valenciana es:

a) Decreto 25/2020, de 6 de junio.
b) Decreto 37/2008, de 28 de marzo.
c) Decreto 100/2022, de 29 de julio.
d) Decreto 98/2023, de 26 de enero.

4. ¿Cuál de los siguientes objetivos que figuran en el decreto del currículo de Educación Infantil no es correcto?

a) Conocer su propio cuerpo y el de los demás, así como sus posibilidades de acción y aprender a respetar las diferencias.
b) Adquirir progresivamente autonomía en las situaciones de la vida cotidiana.
c) Lograr el control de esfínteres al finalizar el primer ciclo.
d) Desarrollar habilidades comunicativas en las dos lenguas oficiales e iniciarse en el descubrimiento de una lengua extranjera.

5. Según se define en el decreto de currículo de educación infantil es el conjunto de estrategias, procedimientos, técnicas y acciones organizadas planificadas por el personal educativo, de manera consciente y reflexiva, que, coordinadas entre sí, tienen la finalidad de facilitar posibilidades de aprendizaje del niño o la niña hacia la consecución de los objetivos y las competencias clave y específicas:

a) Saberes básicos.
b) Situaciones de aprendizaje.
c) Línea pedagógica.
d) Propuesta pedagógica de ciclo.

6. ¿Qué ciclo de educación infantil tiene carácter voluntario?

a) Ninguno de ellos. Ambos son obligatorios.
b) El primer ciclo.
c) El segundo ciclo.
d) Los dos ciclos tienen carácter voluntario.

7. Es el documento en el cual la comunidad educativa debe expresar sus necesidades y plantear sus prioridades de manera singular. Hablamos de:

a) El proyecto educativo.
b) La concreción curricular de centro.
c) La propuesta pedagógica de ciclo.
d) Las programaciones de aula.

8. La normativa que regula la Organización y Funcionamiento de los centros de Infantil y Primaria es:

a) Decreto 253/2019, de 29 de noviembre, del Consell, de regulación de la organización y el funcionamiento de los centros públicos que imparten enseñanzas de Educación Infantil o de Educación Primaria.
b) Decreto 523/2019, de 29 de noviembre, del Consell, de regulación de la organización y el funcionamiento de los centros públicos que imparten enseñanzas de Educación Infantil o de Educación Primaria.

c) Decreto 352/2019, de 29 de noviembre, del Consell, de regulación de la organización y el funcionamiento de los centros públicos que imparten enseñanzas de Educación Infantil o de Educación Primaria.

d) Decreto 235/2019, de 29 de noviembre, del Consell, de regulación de la organización y el funcionamiento de los centros públicos que imparten enseñanzas de Educación Infantil o de Educación Primaria.

9. En el artículo 9 del Reglamento que regula la Organización y Funcionamiento de los Centros, se recogen los órganos de gobierno y coordinación docente. Señala el enunciado incorrecto a este respecto:

a) Órganos unipersonales de coordinación docente: las personas que ejercen la función de tutoría y otras figuras de coordinación.

b) Órganos unipersonales de gobierno: las personas titulares de la dirección, la dirección de estudios y la secretaría del centro.

c) Órganos colegiados de gobierno: consejo escolar y claustro de profesorado del centro.

d) Órganos colegiados de coordinación docente: comisión de coordinación pedagógica, tutores, equipos psicopedagógicos, equipos docentes y equipos de ciclo.

10. Acerca de la composición del equipo directivo en escuelas infantiles del primer ciclo, señala el enunciado correcto:

a) En las escuelas infantiles de primer ciclo, sea cual sea el número de unidades, las funciones del equipo directivo las asumirá el director.

b) En el consejo escolar del centro, las funciones de la secretaria o secretario serán asumidas por el personal educador de Educación Infantil sea o no miembro del mismo, que designe el director.

c) En los centros con menos de 6 unidades las funciones del Consejo Escolar las asume el director.

d) En los centros con seis o más unidades, el equipo directivo estará formado por el director y el jefe de estudios.

11. Los órganos colegiados de gobierno son:

a) Consejo escolar y equipo educativo.

b) Claustro de profesores y equipo directivo.

c) Consejo Escolar y el Claustro de profesores.

d) Equipo directivo y Consejo escolar.

12. ¿Cuál de las siguientes alternativas es incorrecta acerca del Consejo Escolar?

a) Es el órgano por el cual se garantiza la participación de los diferentes sectores que constituyen la comunidad educativa.

b) El director del centro será el presidente.

c) En su composición hay siete representantes del profesorado elegidos por el claustro.

d) Forman parte de él siete representantes de las madres, padres o representantes legales del alumnado.

13. Señala el enunciado erróneo acerca del Claustro del profesorado:

a) En los centros que cuenten con personal no docente especializado de apoyo a la inclusión, este personal no participa del claustro pero tiene derecho a ser informado de las decisiones que se toman en su seno.

b) Es el órgano propio de participación del profesorado en el gobierno del centro.

c) Tiene la responsabilidad de planificar, coordinar, informar y, si procede, decidir sobre los aspectos educativos y académicos del centro.

d) Será presidido por la persona titular de la dirección del centro y estará integrado por la totalidad del profesorado que preste servicio en este centro.

14. Entre las competencias del claustro no se encuentra:

a) Informar sobre la programación general anual y la memoria final de curso antes de su presentación al consejo escolar.

b) Establecer los criterios pedagógicos para la asignación de los diferentes coordinadores.

c) Conocer, en los términos que establezca el centro, la resolución de conflictos disciplinarios y la imposición de sanciones.

d) Conocer las relaciones del centro docente con otras instituciones de su entorno.

15. Acerca de las singularidades del primer ciclo en los órganos de coordinación docente no es cierto que:

a) En los centros que impartan el primer ciclo de Educación Infantil habrá un equipo educativo que actuará como órgano de coordinación docente y agrupará a todo el personal que intervenga en este ciclo.

b) En los centros de Educación Infantil y de Educación Primaria que incorporan a alumnado del primer ciclo de Educación Infantil, el personal que esté a cargo de estas enseñanzas se incorporará al equipo de ciclo de Educación Infantil.

c) En las escuelas infantiles de primer ciclo, las funciones de la comisión de coordinación pedagógica serán asumidas por el equipo educativo.

d) Todas son correctas.

Solución al test n.º 1

1. c) Artículo 12.

2. d) La coordinación con el equipo docente y órganos de gobierno.

3. c) Decreto 100/2022, de 29 de julio.

4. c) Lograr el control de esfínteres al finalizar el primer ciclo.

5. c) Línea pedagógica.

6. d) Los dos ciclos tienen carácter voluntario.

7. a) El proyecto educativo.

8. a) Decreto 253/2019, de 29 de noviembre, del Consell, de regulación de la organización y el funcionamiento de los centros públicos que imparten enseñanzas de Educación Infantil o de Educación Primaria.

9. d) Órganos colegiados de coordinación docente: comisión de coordinación pedagógica, tutores, equipos psicopedagógicos, equipos docentes y equipos de ciclo.

10. a) En las escuelas infantiles de primer ciclo, sea cual sea el número de unidades, las funciones del equipo directivo las asumirá la directora o director.

11. c) Consejo Escolar y Claustro de profesores.

12. d) Forman parte de él siete representantes de las madres, padres o representantes legales del alumnado.

13. a) En los centros que cuenten con personal no docente especializado de apoyo a la inclusión, este personal no participa del claustro pero tiene derecho a ser informado de las decisiones que se toman en su seno.

14. b) Establecer los criterios pedagógicos para la asignación de los diferentes coordinadores.

15. d) Todas son correctas.

TEST N.º 2

La inclusión educativa en la Comunidad Valenciana. Decreto 104/2018, de 27 de julio, del Consell, por la que se desarrollan los principios de equidad y de inclusión en el sistema educativo valenciano

1. Según el artículo 3 del Decreto 104/2018, de 27 de julio, del Consell, por el que se desarrollan los principios de equidad y de inclusión en el sistema educativo valenciano, La educación inclusiva parte de la base de que:

a) Cada alumna y cada alumno con discapacidad debe ser escolarizado en centros de educación especial para que sus necesidades sean atendidas de la mejor forma posible.

b) Cada alumna y cada alumno tiene necesidades únicas y la consideración de la diversidad como un valor positivo que mejora y enriquece el proceso de aprendizaje y enseñanza.

c) La diversidad es un factor que dificulta el buen funcionamiento de los centros educativos, por lo que es necesario poner a disposición del alumnado todos los recursos que permitan la homogeneización.

d) Todas son correctas.

2. Una de las líneas generales de actuación que caracterizan el modelo de escuela inclusiva es la identificación y la eliminación de barreras que pueden estar presentes en el contexto escolar y socio-cultural y en todas las dimensiones que definen la escuela inclusiva. ¿En qué momento hay que poner especial énfasis según el artículo 4 del Decreto 104/2018, de 27 de julio?

a) Al inicio de la escolarización y en los momentos de transición.

b) En la educación infantil.

c) En la educación primaria.

d) En la educación secundaria obligatoria.

3. No es una de las líneas generales de actuación que caracterizan el modelo de escuela inclusiva según el artículo 4 del Decreto 104/2018, de 27 de julio:

a) La movilización de recursos para dar respuesta a la diversidad.

b) El compromiso con la cultura y los valores inclusivos.

c) La individualización de la enseñanza.
d) El desarrollo de un currículo para la inclusión.

4. Para asegurar la implantación y el desarrollo de un modelo educativo inclusivo una de las funciones de la conselleria competente en materia de educación es:

a) Planificar, adecuar y disponer la organización, las condiciones, las medidas y los apoyos que permiten el máximo nivel de inclusión de todo el alumnado.
b) Poner en marcha planes de sensibilización y toma de conciencia dirigidos a la comunidad educativa que tengan como finalidad el desarrollo de actitudes y comportamientos que promuevan la convivencia pacífica, el respeto a la diversidad, la igualdad y la inclusión de todas las personas.
c) Disponer las condiciones que posibiliten la accesibilidad física, sensorial, cognitiva y emocional de los centros docentes y de los servicios educativos.
d) Todas son correctas.

5. Para asegurar la implantación y el desarrollo de un modelo educativo inclusivo una de las funciones de los centros educativos es:

a) Analizar los factores que favorecen o dificultan la inclusión educativa, a partir de las directrices y los indicadores facilitados por la conselleria competente en materia de educación.
b) Diseñar todas sus actuaciones considerando que todo el alumnado pueda participar y aprender.
c) Abrir el centro educativo a su entorno mediante la colaboración en el desarrollo de planes y programas de desarrollo comunitario, el aprovechamiento de los recursos del contexto y la participación en redes de trabajo y de intercambio de experiencias con otros centros educativos o entidades.
d) Todas son correctas.

6. ¿Cuál es el eje vertebrador de la respuesta a la inclusión según el artículo 11 del Decreto 104/2018, de 27 de julio?

a) La dirección del centro educativo.
b) El equipo directivo del centro educativo.
c) La comisión pedagógica.
d) El proyecto educativo de centro (PEC).

7. En el marco del Plan de actuación para la mejora (PAM) se prevén una serie de actuaciones a poner en marcha. ¿Cuál no es una de ellas?

a) La concreción anual del currículo y de todos los planes que forman parte del proyecto educativo del centro.
b) La organización de grupos flexibles homogéneos.
c) La organización de la optatividad.
d) El programa de mejora del aprendizaje y del rendimiento (PMAR).

8. La identificación de las necesidades específicas de apoyo educativo corresponde a:

a) La Conselleria competente en materia de educación.
b) La Conselleria competente en materia de políticas inclusivas y sanidad.
c) Los servicios especializados de orientación.
d) El tutor del alumno con necesidad específica de apoyo educativo.

9. ¿Qué caracteriza a las respuestas educativas para la inclusión de primer nivel?

a) Lo constituyen las medidas dirigidas al alumnado que requiere una respuesta diferenciada, individualmente o en grupo, que implican apoyos ordinarios adicionales.

b) Lo constituyen las medidas generales programadas para un grupo-clase que implican apoyos ordinarios.

c) Lo constituyen las medidas que implican los procesos de planificación, la gestión general y la organización de los apoyos del centro.

d) Lo constituyen las medidas dirigidas al alumnado con necesidades específicas de apoyo educativo que requiere una respuesta personalizada e individualizada de carácter extraordinario que implique apoyos especializados adicionales.

10. ¿En qué nivel de respuesta educativa para la inclusión es preceptivo, en todos los casos, la realización de una evaluación sociopsicopedagógica y la emisión del informe sociopsicopedagógico correspondiente?

a) Primer nivel.
b) Segundo nivel.
c) Tercer nivel.
d) Cuarto nivel.

11. ¿En qué documento se concretan las medidas de respuesta educativa para la inclusión de cuarto nivel?

a) El plan de actuación personalizado.

b) En el proyecto educativo de centro y el plan de actuación para la mejora (PAM).

c) En el plan de atención a la diversidad, el plan de acción tutorial y el plan de igualdad y convivencia contenidos en el proyecto educativo de centro y su concreción en el plan de actuación para la mejora.

d) En las unidades didácticas, así como en el plan de acción tutorial y el plan de igualdad y convivencia contenidos en el proyecto educativo de centro y su concreción en el plan de actuación para la mejora.

12. En este nivel se organizan, igualmente, las medidas transitorias que facilitan la continuidad del proceso educativo del alumnado que, por enfermedad, desprotección, medidas judiciales o que por cualquier circunstancia temporal se encuentre en riesgo de exclusión, requiere apoyos ordinarios en contextos educativos externos al centro escolar al que asiste habitualmente:

a) Primer nivel.
b) Segundo nivel.

c) Tercer nivel.
d) Cuarto nivel.

13. ¿Quién se encarga de elaborar el plan de actuación personalizado según el artículo 14 del Decreto 104/2018, de 27 de julio?

a) El equipo educativo.
b) La dirección del centro educativo.
c) Los servicios especializados de orientación.
d) El Consejo Escolar.

14. Uno de los principios por los que se rige la evaluación en el marco de una escuela inclusiva es:

a) Todo el alumnado tiene derecho a participar en los procedimientos de evaluación.
b) La evaluación debe recoger únicamente la información que sea funcional y pertinente y se ha de realizar respetando la privacidad y confidencialidad.
c) La evaluación se orienta también a la identificación de los apoyos que el alumnado requiere en las diferentes áreas.
d) Todas son correctas.

15. ¿En qué artículo del Decreto 104/2018, de 27 de julio se regula el personal y materiales de apoyo?

a) Artículo 7.
b) Artículo 10.
c) Artículo 18.
d) Artículo 23.

Solución al test n.º 2

1. b) Cada alumna y cada alumno tiene necesidades únicas y la consideración de la diversidad como un valor positivo que mejora y enriquece el proceso de aprendizaje y enseñanza.

2. a) Al inicio de la escolarización y en los momentos de transición.

3. c) La individualización de la enseñanza.

4. c) Disponer las condiciones que posibiliten la accesibilidad física, sensorial, cognitiva y emocional de los centros docentes y de los servicios educativos.

5. d) Todas son correctas.

6. d) El proyecto educativo de centro (PEC).

7. b) La organización de grupos flexibles homogéneos.

8. c) Los servicios especializados de orientación.

9. c) Lo constituyen las medidas que implican los procesos de planificación, la gestión general y la organización de los apoyos del centro.

10. d) Cuarto nivel.

11. a) El plan de actuación personalizado.

12. c) Tercer nivel.

13. a) El equipo educativo.

14. d) Todas son correctas.

15. c) Artículo 18.

TEST N.º 3

Respuesta educativa a la inclusión. Orden 20/2019, de 30 de abril, de la Conselleria de Educación, Investigación, Cultura y Deporte, por la que se regula la organización de la respuesta educativa para la inclusión del alumnado en los centros docentes sostenidos con fondos públicos del sistema educativo valenciano

1. Según el artículo 4 de la Orden 20/2019, de 30 de abril la detección previa a la escolarización de las situaciones de compensación de desigualdades corresponde a:

a) El tutor o tutora.
b) El equipo educativo.
c) El servicio especializado de orientación.
d) Los servicios sociales municipales o mancomunados.

2. La evaluación sociopsicopedagógica se caracteriza por todo lo siguiente excepto:

a) Se centra en identificar las barreras a la inclusión y los puntos fuertes del alumnado y del contexto, y en identificar las necesidades educativas, evitando formas de etiquetado.
b) Está encaminada a eliminar las barreras a la inclusión, promover el desarrollo personal, escolar y social del alumnado y orientar al profesorado y la familia en su tarea educativa.
c) Promueve la inclusión del alumnado en contextos educativos normalizados y prevé las situaciones o condiciones que pueden producir su segregación y aislamiento.
d) Se inicia en el momento en que se constata la necesidad de adoptar medidas de nivel II y III.

3. La valoración sociopsicopedagógica tiene carácter prescriptivo en todas las situaciones siguientes excepto:

a) Escolarización del alumnado con necesidad de apoyo educativo.
b) Programas personalizados que comporten apoyos personales especializados.
c) Flexibilización del inicio de la escolarización en el segundo ciclo de la etapa de Educación Infantil para el alumnado con necesidades educativas especiales o retraso madurativo.
d) Prórroga de permanencia de un año más en el segundo ciclo de Educación Infantil para el alumnado con necesidades educativas especiales.

4. ¿Quién es el encargado de coordinar el proceso de evaluación sociopsicopedagógica?

a) Los Servicios Sociales comunitarios.
b) El Servicio de Atención Temprana.
c) El especialista de Orientación educativa.
d) El director o directora del centro educativo.

5. ¿En qué caso es necesario actualizar la evaluación y el informe sociopsicopedagógico?

a) Cuando hay que modificar las medidas propuestas.
b) Cuando es necesario incorporar otras medidas que requieren preceptivamente una evaluación sociopsicopedagógica.
c) En los cambios de etapa.
d) Todas son correctas.

6. Cuando tras la realización del Informe sociopsicopedagógico se concluye que el alumno necesita supervisión o apoyo con personal no especializado en alguna área o entorno en algún momento de la jornada escolar semanal hablamos de:

a) Grado de apoyo 1.
b) Grado de apoyo 2.
c) Grado de apoyo 3.
d) Grado de apoyo 4.

7. El PAP tiene carácter prescriptivo para el alumnado con necesidades específicas de apoyo educativo, siempre que se aplique alguna de las medidas siguientes excepto:

a) Adaptación curricular individual significativa (ACIS) en la enseñanza obligatoria.
b) Enriquecimiento curricular para el alumnado con discapacidad intelectual.
c) Programas personalizados que implican apoyos personales especializados.
d) Programas específicos para el alumnado que presenta alteraciones graves de la conducta, programas de acompañamiento ante supuestos de violencia y desprotección, y planes terapéuticos para el alumnado con problemas graves de salud mental.

8. El PAP tiene carácter:

a) Trimestral.
b) Anual.
c) Bianual.
d) Cuatrienal.

9. Este tipo de medidas tienen como objeto implementar la cultura y los valores de la educación inclusiva en las prácticas educativas, cosa que implica el desarrollo de medidas que promueven la igualdad y la convivencia, la prevención y detección de las situaciones de acoso escolar y la consiguiente intervención, la valoración de la diversidad cultural y étnica, la acogida y el sentido de pertenencia del alumnado a la comunidad global y local, en el centro y a su grupo clase:

a) Medidas de acceso.
b) Medidas de aprendizaje.
c) Medidas de participación.
d) Medidas de inclusión.

10. Las adaptaciones de acceso las planifica, desarrolla y evalúa:

a) El equipo educativo.
b) La dirección del centro educativo.
c) El Consejo Escolar.
d) El servicio especializado de orientación.

11. El refuerzo pedagógico es una medida de respuesta de nivel:

a) I.
b) II.
c) III.
d) IV.

12. Señala el enunciado correcto sobre el enriquecimiento curricular:

a) Es una medida de nivel II.
b) Está dirigida al alumnado con discapacidad intelectual.
c) Las actuaciones y los programas de enriquecimiento curricular las planifica, las aplica y las evalúa el equipo docente, coordinado por la tutora o el tutor y asesorado por el servicio especializado de orientación, con la participación del alumnado y la familia.
d) Todas son correctas.

13. La adaptación curricular individual significativa (ACIS) es una medida curricular extraordinaria de nivel:

a) I.
b) II.
c) III.
d) IV.

14. ¿Quién autoriza la aplicación de una adaptación curricular individual significativa (ACIS) a la vista del informe sociopsicopedagógico favorable?

a) La tutora o el tutor.
b) La dirección del centro.

c) El equipo educativo.
d) El Consejo Escolar.

15. Señala la afirmación correcta sobre los programas personalizados para la adquisición y uso funcional de la comunicación, el lenguaje y el habla:

a) Son medidas de nivel II.
b) Están dirigidas exclusivamente al alumnado escolarizado en la etapa de Educación Infantil que presenta necesidades específicas de apoyo educativo con el objetivo de que desarrolle, logre y generalice las competencias comunicativas y lingüísticas funcionales en los contextos de interacción y aprendizaje en los que participa.
c) Estos programas los desarrolla el personal docente especializado de Audición y Lenguaje.
d) Todas son correctas.

Solución al test n.º 3

1. d) Los servicios sociales municipales o mancomunados.

2. d) Se inicia en el momento en que se constata la necesidad de adoptar medidas de nivel II y III.

3. a) Escolarización del alumnado con necesidad de apoyo educativo.

4. c) El especialista de Orientación educativa.

5. d) Todas son correctas.

6. a) Grado de apoyo 1.

7. b) Enriquecimiento curricular para el alumnado con discapacidad intelectual.

8. b) Anual.

9. c) Medidas de participación.

10. a) El equipo educativo.

11. c) III.

12. c) Las actuaciones y los programas de enriquecimiento curricular las planifica, las aplica y las evalúa el equipo docente, coordinado por la tutora o el tutor y asesorado por el servicio especializado de orientación, con la participación del alumnado y la familia.

13. d) IV.

14. b) La dirección del centro.

15. c) Estos programas los desarrolla el personal docente especializado de Audición y Lenguaje.

TEST N.º 4

Aportaciones actuales de las diferentes corrientes pedagógicas y psicológicas en el primer ciclo de Educación Infantil

1. ¿De quién es el modelo de la intuición global?

a) Juan Enrique Pestalozzi.
b) William Heard Kilpatrick.
c) Federico Fröebel.
d) María Montessori.

2. ¿De quién es el modelo de la reflexión lúdica?

a) Juan Enrique Pestalozzi.
b) William Heard Kilpatrick.
c) Federico Fröebel.
d) María Montessori.

3. ¿Cuál de los siguientes no es un principio de la Escuela Nueva?

a) Heteroeducación.
b) Individualización.
c) Globalización.
d) Autoeducación.

4. ¿De quién es el modelo de la educación integral?

a) Juan Enrique Pestalozzi.
b) William Heard Kilpatrick.
c) Federico Fröebel.
d) María Montessori.

5. ¿A cuál de los siguientes autores de la Escuela Nueva corresponde este enunciado? *La educación debe ser libre, activa, espontánea e individual, pudiendo así darse el aprendizaje por descubrimiento* (autoeducación).

a) María Montessori.
b) Hermanas Agazzi.

c) Ovidio Decroly.
d) Loris Malaguzzi.

6. Acerca de la pedagogía y aportaciones de las hermanas Agazzi, no es cierto que:

a) Las contraseñas son símbolos inteligibles que ayudan a ordenar la actividad y conservar el orden de las cosas y del ambiente.
b) Fundan los dos primeros parvularios en Monpiano en 1892.
c) El orden en el método Agazzi es el eje rector de todo su sistema.
d) Todas son ciertas.

7. ¿A qué autor de la Escuela Nueva corresponde la Casa dei Bambini?

a) Hermanas Agazzi.
b) María Montessori.
c) Ovidio Decroly.
d) Celestin Freinet.

8. Todos los siguientes son principios en los que se fundamenta el método Montessori excepto:

a) Intervención del adulto discreta, prudente y respetuosa.
b) Ambiente libre de obstáculos y dotado de materiales adecuados.
c) El niño es único en cuanto a su capacidad cognoscitiva, sus intereses y su ritmo de trabajo.
d) Agrupación de niños homogénea (por edad o madurez).

9. ¿Cuál de las siguientes afirmaciones acerca de Ovidio Decroly no es correcta?

a) Fundador de L'Ecole de L'Ermitage.
b) Procede del ámbito de la filosofía.
c) Tuvo influencias de otros autores y corrientes de su época: Dewey (Pedagogía Científica), Claparède y Ferrière (escuela psicológica).
d) Se inició en la pedagogía a través de trabajos con los niños con discapacidad.

10. Según Decroly, ¿cuál de las siguientes no es una fase del proceso de conocimiento?

a) Síntesis.
b) Análisis.
c) Observación.
d) Síncresis.

11. Los procesos mediante los cuales se llega al conocimiento según Decroly son todos los siguientes, excepto:

a) Observación: basada en experiencias sensoriales y percepciones para conocer, reforzar y consolidar en los niños el conocimiento profundo de las cualidades de los objetos e introducirles progresivamente en nociones de peso, longitud, formas, capacidad.

b) Asociación: centrada esencialmente en establecer relaciones lógicas y científicas entre los objetos y sus cualidades, los fenómenos y sus relaciones con el presente, el pasado y el futuro, y las distintas circunstancias de los lugares en las que se sitúan los hechos u objetos.

c) Expresión: mediante el lenguaje oral o escrito, la expresión artística, gestual, gráfica, manual o musical. Mediante la expresión, los niños amplían su vocabulario, lo precisan, la hacen más objetivo y correcto; aprenden técnicas nuevas de expresión y desarrollan su creatividad.

d) Evaluación: centrada en valorar, verificar, aplicar y transferir los aprendizajes.

12. ¿De quién es el modelo del tanteo experimental?

a) María Montessori.
b) Hermanas Agazzi.
c) Ovidio Decroly.
d) Celestin Freinet.

13. A la pedagogía de Reggio Emilia se la conoce también como:

a) Pedagogía del asombro.
b) Pedagogía de la globalización.
c) Escuela Nueva.
d) Pedagogía de la libertad.

14. ¿A qué llama J. Piaget "un proceso interno que realizan los organismos para constituirse en totalidades coherentes"?

a) Asimilación.
b) Organización.
c) Acomodación.
d) Adaptación.

15. Señala el enunciado incorrecto en las aportaciones de J. Piaget:

a) Considera la inteligencia y el conocimiento como órganos de adaptación al ambiente.
b) Las funciones permanecen fijas a lo largo del desarrollo.
c) Las estructuras se modifican a lo largo del desarrollo.
d) El proceso de organización es continuo y la modificación de las estructuras concluye en el estadio de las operaciones concretas.

Solución al test n.º 4

1. a) Juan Enrique Pestalozzi.

2. b) William Heard Kilpatrick.

3. a) Heteroeducación.

4. c) Federico Fröebel.

5. a) María Montessori.

6. d) Todas son ciertas.

7. b) María Montessori.

8. d) Agrupación de niños homogénea (por edad o madurez).

9. b) Procede del ámbito de la filosofía.

10. c) Observación.

11. d) Evaluación: centrada en valorar, verificar, aplicar y transferir los aprendizajes.

12. d) Celestin Freinet.

13. a) Pedagogía del asombro.

14. b) Organización.

15. d) El proceso de organización es continuo y la modificación de las estructuras concluye en el estadio de las operaciones concretas.

TEST N.º 5

Desarrollo psicológico, emocional y social en niños y niñas de hasta 3 años. Educar las emociones. Autoconcepto y autoestima. Autonomía y autoregulación emocional. Intervención educativa

1. Respecto al desarrollo infantil, podemos decir que:

a) El orden en que se consiguen los diferentes logros es prácticamente igual para todos los niños.
b) Todos los niños alcanzan los distintos logros a la misma edad. Especialmente en el primer año de vida.
c) Las respuestas a) y b) son correctas.
d) Ninguna de las anteriores es correcta.

2. El conocimiento de las características del desarrollo infantil nos permite:

a) Conocer la fecha exacta en la que un bebé debe sentarse, mantenerse de pie, caminar, etc.
b) Ofrecer un cuidado y atención adecuado al nivel de desarrollo de cada niño.
c) Saber anticipadamente qué es capaz de hacer cada niño según su edad cronológica.
d) Las respuestas a) y b) son correctas.

3. La rama de la Psicología que estudia los procesos de cambio psicológico y madurativo que ocurren a lo largo del periodo vital se denomina:

a) Psicología madurativa.
b) Psicología educativa.
c) Psicología escolar.
d) Psicología evolutiva.

4. Los dos autores más relevantes al hablar de desarrollo y educación son:

a) Piaget y Vigotsky.
b) Piaget y Freud.

c) Freud y Vigotsky.
d) Watson y Freud.

5. Los tres conceptos fundamentales en la teoría psicoanalítica del desarrollo son:

a) La etapa oral, la etapa anal y la etapa fálica.
b) La libido, el inconsciente y las pulsiones sexuales.
c) La evolución del niño en etapas, la fijación y la regresión.
d) El complejo de Edipo, el sentimiento de culpa y el inconsciente.

6. Según Freud, el complejo de Edipo ocurre en:

a) La etapa oral.
b) La etapa anal.
c) La etapa fálica o genital.
d) La etapa de latencia sexual.

7. El creador del conductismo y de las primeras teorías conductistas fue:

a) Watson.
b) Skinner.
c) Vigotsky.
d) Piaget.

8. El creador del conductismo establece que el objeto de estudio de la psicología debe ser:

a) El inconsciente.
b) Los fenómenos psíquicos internos.
c) El comportamiento observable.
d) Los procesos mentales internos y conscientes.

9. Podemos definir el condicionamiento de Watson como:

a) El miedo que desarrolla el individuo en situaciones experimentales.
b) La respuesta del niño frente a ruidos fuertes y repentinos.
c) Un experimento de laboratorio en el cual se utilizan estímulos incondicionados, estímulos neutros y estímulos condicionados.
d) El proceso por el cual somos capaces de provocar una determinada respuesta en el individuo mediante la manipulación de los estímulos ambientales.

10. Uno de los puntos fundamentales de la teoría de Piaget es el hecho de considerar a la inteligencia activa. Esto quiere decir que:

a) Si proporcionamos al niño las experiencias adecuadas, a través de su propia actividad es capaz de aprender.
b) El niño es el receptor de las enseñanzas del profesor.

c) Solo la maduración biológica hace que vaya aumentando la inteligencia, encontrando sus propios cauces para progresar, por eso es activa.

d) La inteligencia, en la teoría de Piaget, no es activa. La actividad recae en el alumno que aprende y en el profesor que enseña.

11. La teoría de Piaget se centra sobre todo en:

a) El desarrollo de las emociones.
b) El desarrollo de la sexualidad infantil.
c) El desarrollo de los procesos mentales.
d) Las respuestas a) y c) son correctas.

12. Las etapas de desarrollo en la teoría piagetiana son las siguientes:

a) Periodo de las reacciones circulares, periodo intuitivo y periodo de las operaciones formales.

b) Periodo preoperatorio, periodo de las operaciones básicas y periodo de las operaciones complejas.

c) Periodo sensoriomotor, periodo de las operaciones básicas y periodo de las operaciones complejas.

d) Periodo sensoriomotor, periodo de las operaciones concretas y periodo de las operaciones formales.

13. El objeto de estudio de la psicología soviética lo constituyen:

a) Los procesos superiores de pensamiento.
b) La conducta observable del sujeto debida a estímulos externos.
c) La conducta observable del sujeto debida a estímulos internos.
d) Las respuestas a) y c) son correctas.

14. La teoría de Vigotsky es instrumental porque:

a) Los procesos mentales superiores requieren el uso de recursos internos o instrumentos de pensamiento.

b) Su teoría del desarrollo del lenguaje se inspira en las normas de composición musical e instrumental.

c) La inteligencia es el instrumento que utiliza el hombre para dominar y manejar el entorno en el que vive.

d) Porque realizó sus estudios sobre el desarrollo de los procesos mentales, con un grupo de alumnos del conservatorio superior de música de Moscú.

15. La teoría de Vigotsky concede gran importancia a la construcción social de las funciones psicológicas superiores. Esto quiere decir que:

a) La sociedad establece un ideal de funcionamiento psicológico y el alumno debe esforzarse por conseguirlo. Cuanto más se acerque a ese ideal, mejor será su rendimiento intelectual.

b) Dichas funciones se desarrollan a través de la interacción social del niño, bien con otros niños más competentes que él, bien con los adultos.

c) El adulto establece, teniendo en cuenta la edad cronológica del niño, el nivel de funcionamiento intelectual al que debe llegar el individuo.

d) El desarrollo intelectual óptimo solo es posible cuando el individuo vive en el seno de una comunidad soviética, ya que la teoría de Vigotsky está basada en las ideas marxistas.

Solución al test n.º 5

1. a) El orden en que se consiguen los diferentes logros es prácticamente igual para todos los niños.

2. b) Ofrecer un cuidado y atención adecuado al nivel de desarrollo de cada niño.

3. d) Psicología evolutiva.

4. a) Piaget y Vigotsky.

5. c) La evolución del niño en etapas, la fijación y la regresión.

6. c) La etapa fálica o genital.

7. a) Watson.

8. c) El comportamiento observable.

9. d) El proceso por el cual somos capaces de provocar una determinada respuesta en el individuo mediante la manipulación de los estímulos ambientales.

10. a) Si proporcionamos al niño las experiencias adecuadas, a través de su propia actividad es capaz de aprender.

11. c) El desarrollo de los procesos mentales.

12. d) Periodo sensoriomotor, periodo de las operaciones concretas y periodo de las operaciones formales.

13. a) Los procesos superiores de pensamiento.

14. a) Los procesos mentales superiores requieren el uso de recursos internos o instrumentos de pensamiento.

15. b) Dichas funciones se desarrollan a través de la interacción social del niño, bien con otros niños más competentes que él, bien con los adultos.

TEST N.º 6

Desarrollo de la expresión plástica, gráfica, musical y corporal en niños y niñas de hasta 3 años. Intervención educativa

1. ¿Cuál de las siguientes no es una etapa del garabateo?

a) Desordenado.
b) Controlado.
c) Proyectado.
d) Con nombre.

2. ¿Cuál de los siguientes enunciados en relación al garabato es correcto?

a) El niño hace un uso intencional y expresivo del color.
b) La actividad motriz es lo esencial, sobre todo en los primeros estadios.
c) Existe un control visual del trazo.
d) Los garabatos presentan una evolución muy lenta desde los trazos iniciales.

3. ¿Cuál de los siguientes hitos propios de la etapa preesquemática no es correcto?

a) A los 3 años ejecuta formas reconocibles.
b) A los 5 años pueden ser reconocibles personas.
c) A los 6 años los dibujos se distinguen claramente.
d) Los trazos y garabatos van perdiendo relación con los movimientos corporales.

4. Todas las siguientes son características propias de la etapa preesquemática. ¿Cuál de las siguientes no es correcta en su significado?

a) Ejemplaridad: utiliza siempre el mismo esquema para representar cosas diferentes.
b) Existe una sola perspectiva.
c) Transparencias: dibujos en rayos X.
d) Ninguna de las respuestas anteriores es correcta.

5. Los elementos básicos de las composiciones plásticas que realizan los niños y niñas de edades comprendidas entre los 4 y los 6 años son:

a) El color, la textura y la forma.
b) La línea, la textura, la forma y el volumen.

c) El color, la línea, la forma y el volumen.
d) El color y la forma.

6. Entre las directrices fundamentales de la metodología en la expresión plástica no se encuentra:

a) Adecuar los instrumentos, técnicas y materiales a los objetivos propuestos.
b) Generar actitudes positivas hacia la expresión plástica.
c) Considerar la expresión plástica un lenguaje cuyas técnicas deben aprender, priorizando el descubrimiento de los aspectos formales para que lo dominen.
d) Todas las opciones son correctas.

7. ¿Cuál de los siguientes emparejamientos en relación a las técnicas plásticas es correcto?

a) Esgrafiado: impresión con los dedos (dactilopintura), con objetos (corcho, gomas...) con otros objetos (patata, cebolla...).
b) Clesografía: humedecer primero el papel con agua o color muy aguado. Gotear después el pincel cargado de diferentes colores.
c) Granulado: empastar por capas sucesivas en el papel unas veces en un sentido y otras en otro (perpendicular), hasta conseguir una textura uniforme.
d) Granulado: humedecer primero el papel con agua o color muy aguado. Gotear después el pincel cargado de diferentes colores.

8. La evaluación de las actividades plásticas deberá extenderse a:

a) Análisis de la actitud.
b) Análisis del procedimiento.
c) Todos los anteriores.
d) Ninguna de las respuestas anteriores es correcta.

9. ¿Cuál de los siguientes no es un principio metodológico fundamental de la Educación Musical?

a) Centrarse en un único método.
b) Relacionar la música con otras formas de expresión.
c) Aprovechar la música del momento y del lugar.
d) Utilizar las diferentes metodologías musicales.

10. El educador infantil debe poseer una preparación técnica en el lenguaje musical, para ello es conveniente que posea formación en todas las áreas siguientes, excepto:

a) Formación instrumental.
b) Oído musical.

c) Sentido rítmico.
d) Utilizar las diferentes metodologías musicales.

11. Las cualidades del sonido son todas, excepto:

a) Duración.
b) Timbre.
c) Sonoridad.
d) Altura.

12. En relación con los atributos del sonido, ¿cuál de las siguientes alternativas es falsa?

a) La altura depende de la longitud de la vibración.
b) La intensidad depone de la amplitud de la vibración.
c) La duración depende de que perduren o no las vibraciones.
d) Todos los enunciados anteriores son incorrectos.

13. En relación con el tono de un sonido, identifique el anunciado falso:

a) Según la entonación, el sonido puede ser grave o agudo.
b) A la distancia tonal entre dos sonidos se le denomina intervalo.
c) A la sucesión de sonidos que suenan simultáneamente, percibiéndose como un solo sonido compuesto se le denomina melodía.
d) Las opciones a y b son falsas.

14. En relación con el silencio, ¿cuál es falsa?

a) El silencio, en el discurso musical, tiene un rol expresivo igual que el del sonido.
b) El silencio constituye la disminución o interrupción de sonido.
c) El silencio absoluto no existe, pues continuamente se están produciendo sonidos.
d) Ninguna de las opciones anteriores contiene un error.

15. Entre los efectos y timbres que podemos obtener mediante palmas, los más destacados son los siguientes, excepto:

a) Sonido intenso se percute con las manos ahuecándolas.
b) Sonido brillante percutiendo una mano contra otra.
c) Muy suave (pianissimo) percutiendo con un dedo en la mano contraria.
d) Sonido opaco se percute con las manos ahuecándolas.

Solución al test n.º 6

1. c) Proyectado.

2. b) La actividad motriz es lo esencial, sobre todo en los primeros estadios.

3. a) A los 3 años ejecuta formas reconocibles.

4. b) Existe una sola perspectiva.

5. c) El color, la línea, la forma y el volumen.

6. c) Considerar la expresión plástica un lenguaje cuyas técnicas deben aprender, priorizando el descubrimiento de los aspectos formales para que lo dominen.

7. c) Granulado: empastar por capas sucesivas en el papel unas veces en un sentido y otras en otro (perpendicular), hasta conseguir una textura uniforme.

8. c) Todos los anteriores.

9. a) Centrarse en un único método.

10. a) Formación instrumental.

11. c) Sonoridad.

12. a) La altura depende de la longitud de la vibración.

13. c) A la sucesión de sonidos que suenan simultáneamente, percibiéndose como un solo sonido compuesto se le denomina melodía.

14. b) El silencio constituye la disminución o interrupción de sonido.

15. a) Sonido intenso se percute con las manos ahuecándolas.

TEST N.º 7

Desarrollo sensorial y motor en niños y niñas de hasta 3 años

1. La forma primera y más sencilla de la interacción y conocimiento es:

a) La sensación.
b) La percepción.
c) La atención.
d) Ninguna de las anteriores.

2. Todos los siguientes son componentes de una sensación excepto:

a) Un componente fisiológico.
b) Un componente cognitivo.
c) Un componente físico.
d) Un componente psicológico.

3. Acerca de la sensación no es cierto que:

a) Las sensaciones son el punto de partida del conocimiento.
b) Se producen de forma aislada e independiente, relacionándose después con otras previas.
c) Cada sensación tiende a ser comparada y asociada con otras experiencias sensoriales pasadas.
d) La inteligencia se desarrolla a partir de informaciones sensoriales y exploraciones motrices desde los primeros meses.

4. Dentro de las sensaciones epicríticas distinguimos todas las siguientes, excepto:

a) Sensaciones Interoceptivas.
b) Sensaciones Propioceptivas.
c) Sensaciones Protopáticas.
d) Sensaciones Exteroceptivas.

5. A la capacidad de organizar los estímulos y sensaciones, y diferenciar unos objetos de otros se le denomina:

a) La sensación.
b) La atención.

c) La percepción.
d) Ninguna de las anteriores.

6. Todas las siguientes son etapas del proceso perceptivo excepto:

a) Información-sensación.
b) Conducción.
c) Excitación.
d) Atención.

7. Entre las dimensiones del proceso perceptivo no figura:

a) Cualidad.
b) Motivación.
c) Intensidad.
d) Tono afectivo.

8. En el momento del nacimiento el sistema visual del bebé presenta un funcionamiento:

a) No presenta funcionamiento alguno. El niño permanece casi todo el tiempo con los ojos cerrados, comienza a funcionar a los dos o tres días.
b) Igual al del adulto, pues es el sentido más desarrollado desde el nacimiento.
c) No llega a igualar al del adulto, pero es muy maduro, en pocos días llega a tener un funcionamiento igual al del adulto.
d) Es muy inmaduro, pues es el sentido menos desarrollado en el momento del nacimiento.

9. La atención visual está determinada por las características de los objetos. En este sentido, el bebé muestra una clara preferencia por:

a) Los objetos en movimiento.
b) Los estímulos complejos.
c) Los estímulos familiares.
d) Todas las respuestas son correctas.

10. Podemos asegurar que el estímulo visual preferido por el bebé de pocos meses es:

a) Los juguetes musicales.
b) Los juguetes luminosos.
c) Los juguetes suaves, del tipo de los peluches.
d) El rostro humano.

11. Si el educador detecta algún síntoma de mala visión en alguno de los niños que están a su cargo, debe:

a) Ponerse en contacto con los servicios médicos para que lo vea un oftalmólogo.
b) Informar a la dirección del centro para que tome las medidas oportunas.

c) Informar a los padres para que lo observen y acudan con el niño al oftalmólogo.
d) Realizar con el niño ejercicios oculares para que mejore su visión.

12. Entre los síntomas que nos pueden alertar sobre un desarrollo anómalo de la visión del bebé podemos citar:

a) Falta de atención al rostro humano.
b) Falta de respuesta (sonrisa) cuando nos acercamos al bebé.
c) Coloración anormal de las pupilas.
d) Todas las respuestas son correctas.

13. En cuanto a la percepción de la forma en el recién nacido, podemos decir que:

a) Presta atención solo a los contornos de la figura.
b) Presta atención solo a la zona central de la figura.
c) Se centra sobre todo en el contorno, aunque si la zona central tiene movimiento, también puede captar su atención.
d) El recién nacido aún no percibe la forma.

14. Sobre la percepción del color en el bebé es cierta la siguiente afirmación:

a) El bebé no percibe el color hasta los 12 meses. Su visión es en blanco y negro.
b) La percepción del color del bebé es idéntica a la del adulto.
c) Existen muchas semejanzas entre la visión del color de un bebé de solo diez semanas y la visión del color de un adulto.
d) El bebé no percibe el color, ni siquiera el blanco y el negro. Su nivel de desarrollo solo le permite ver manchas difusas.

15. La capacidad de acomodación del cristalino (capacidad para enfocar objetos situados a diferente distancia):

a) En el momento del nacimiento ya funciona igual que la del adulto.
b) Aunque presente en el momento del nacimiento, no se perfeccionará asemejándose a la del adulto hasta los dos meses de edad aproximadamente.
c) Aparece hacia los dos meses de edad y se irá perfeccionando hasta los seis meses, en que alcanza su máximo desarrollo.
d) Aparece aproximadamente a los seis meses de edad con un nivel de funcionamiento óptimo.

Solución al test n.º 7

1. a) La sensación.

2. b) Un componente cognitivo.

3. b) Se producen de forma aislada e independiente, relacionándose después con otras previas.

4. c) Sensaciones protopáticas.

5. c) La percepción.

6. d) Atención.

7. b) Motivación.

8. d) Es muy inmaduro, pues es el sentido menos desarrollado en el momento del nacimiento.

9. a) Los objetos en movimiento.

10. d) El rostro humano.

11. c) Informar a los padres para que lo observen y acudan con el niño al oftalmólogo.

12. d) Todas las respuestas son correctas.

13. c) Se centra sobre todo en el contorno, aunque si la zona central tiene movimiento, también puede captar su atención.

14. c) Existen muchas semejanzas entre la visión del color de un bebé de solo diez semanas y la visión del color de un adulto.

15. b) Aunque presente en el momento del nacimiento, no se perfeccionará asemejándose a la del adulto hasta los dos meses de edad aproximadamente.

TEST N.º 8

Desarrollo cognitivo en los niños y niñas de hasta 3 años. Conceptos básicos de las teorías sobre el desarrollo cognitivo

1. Un conjunto de elementos mutuamente dependientes, que en contacto con el medio y a través de las experiencias va modificándose, incorporando las variaciones fruto de las experiencias es:

a) Esquema.
b) Estructura.
c) Reversibilidad.
d) Adaptación.

2. Señala el emparejamiento incorrecto:

a) Adaptación: intercambio del organismo con su medio, con modificación de ambos para producir el equilibrio.
b) Asimilación: comprensión de un proceso tras la experimentación activa.
c) Acomodación: modificación del organismo, desencadenada por efectos del medio, que tiene como fin incrementar la capacidad de asimilación del organismo y en definitiva de la adaptación.
d) Todos son correctos.

3. Acerca de los planteamientos teóricos básicos de Vigotsky, no es cierto que:

a) La construcción del psiquismo, que va de lo social a lo individual.
b) El niño aprende a usar el lenguaje en la comunicación con los otros después de ser capaz de utilizarlo para la reflexión.
c) El desarrollo del niño no transcurre de forma regular; unos periodos son de cambio relativamente lento y gradual, mientras en otros, el cambio se produce de forma rápida y brusca.
d) Todas son ciertas.

4. La distancia entre el nivel real de desarrollo, terminado por la capacidad de resolver independientemente un problema y el nivel de desarrollo potencial determinado a través de la resolución de un problema bajo la guía de un adulto o en colaboración con otro compañero más capaz, se denomina:

a) Mediación social.
b) Mediación instrumental.

c) Zona de desarrollo próximo.
d) Zona de desarrollo potencial.

5. Acerca de los planteamientos teóricos de Piaget, señala el enunciado incorrecto:

a) Las etapas del desarrollo intelectual pueden explicarse basándose en los conceptos de desarrollo biológico y evolución que subyacen en sus teorías.
b) El desarrollo infantil sigue una serie de etapas con un orden invariable.
c) Se interesa fundamentalmente por el proceso de construcción de estructuras mentales.
d) El proceso de construcción del conocimiento está mediado por el exterior y es individual.

6. El máximo representante de la teoría del procesamiento de la información es:

a) Bruner.
b) Gagne.
c) Ausubel.
d) Brofenbrenner.

7. ¿Cuál de los siguientes constituye uno de los principios básicos del modelo ecológico?

a) La interacción entre las personas y su medio como base de continuo proceso de aprendizaje.
b) Los distintos contextos de los que participa el sujeto y de sus relaciones entre ellos.
c) Las percepciones, creencias, pensamientos y actitudes, que, si bien no son directamente observables, son reveladoras de la naturaleza de los integrantes del aula.
d) Todas son ciertas.

8. Para Bronfenbrenner todos los aspectos del entorno, tanto físico como social, se configuran como un sistema global del cual forma parte el sujeto. ¿Cuál de los siguientes no constituye un nivel de análisis?

a) Microsistema.
b) Mesosistema.
c) Endosistema.
d) Macrosistema.

9. Las siguientes respuestas expresan los diferentes estadios del desarrollo según Piaget. Señala el que contiene un error:

a) 0 a 18-24 meses: etapa sensomotora.
b) 2 a 6/7 años: estadio preoperacional.

c) 7 a 12 años: operaciones concretas.
d) 12 a en adelante: operaciones complejas.

10. Entre los aspectos positivos y grandes avances del pensamiento preoperacional cabe citar todos los siguientes, excepto:

a) Adquisición de algunas invariantes cualitativas.
b) Capacidad de apreciar la relación o covariación que hay entre dos sucesos.
c) Mayor capacidad de educabilidad, entrenamiento y evaluación.
d) Todas son ciertas.

11. Todos los siguientes son modalidades de esquemas para representar el funcionamiento del mundo en el periodo sensoriomotor, excepto:

a) Esquemas de persona, que incluyen información sobre las características personales de los otros y de sí mismo.
b) Esquemas de reflejos.
c) Esquemas de roles: que las personas o grupos pueden desempeñar.
d) Scripts o guiones que especifican una secuencia de acciones conectadas casual y temporalmente que se produce en un contexto social determinado.

12. Todos los siguientes son logros adquiridos al final de la etapa sensoriomotriz, excepto:

a) La lógica inductiva.
b) La permanencia de los objetos.
c) El principio de causalidad.
d) El control del espacio circundante.

13. Todas las siguientes afirmaciones son ciertas en relación con el periodo preoperacional excepto una. ¿Sabes indicar de cuál se trata?

a) Adquisición del lenguaje va a posibilitar una capacidad de simbolización.
b) Adquisición del autoconcepto o identidad categorial.
c) Los conocimientos adquiridos en el plano de la acción serán reconstruidos a nivel representativo.
d) La capacidad simbólica posibilita la adquisición de conceptos.

14. Todos los siguientes que se mencionan son formas de conocimiento de la realidad en el periodo preoperacional, excepto:

a) Experimentación y la resolución de problemas prácticos.
b) Escolarización.
c) Interpretaciones de la naturaleza.
d) Conocimiento del mundo social.

15. ¿Cuál de los siguientes no constituye un principio en la observación sistemática?

a) Globalización.
b) Sistematización.
c) Experimentación.
d) Comunicación.

Solución al test n.º 8

1. a) Esquema.

2. b) Asimilación: comprensión de un proceso tras la experimentación activa.

3. b) El niño aprende a usar el lenguaje en la comunicación con los otros después de ser capaz de utilizarlo para la reflexión.

4. c) Zona de desarrollo próximo.

5. d) El proceso de construcción del conocimiento está mediado por el exterior y es individual.

6. b) Gagne.

7. d) Todas son ciertas.

8. c) Endosistema.

9. d) 12 a en adelante: operaciones complejas.

10. d) Todas son ciertas.

11. b) Esquemas de reflejos.

12. a) La lógica inductiva.

13. d) La capacidad simbólica posibilita la adquisición de conceptos.

14. b) Escolarización.

15. c) Experimentación.

TEST N.º 9

Desarrollo y adquisición del lenguaje. Funciones, etapas y factores. Alteraciones del lenguaje

1. Entre los procesos fundamentales que intervienen en la adquisición y desarrollo del lenguaje no se encuentra:

a) Imitación.
b) Condicionamiento.
c) Genética.
d) Maduración.

2. ¿Cuál de los siguientes emparejamientos acerca de las funciones del lenguaje según Holliday no es correcta?

a) Función reguladora: establecer relaciones sociales.
b) Función heurística: para obtener información, preguntar.
c) Función informativa: para transmitir información.
d) Función instrumental: satisfacción de necesidades.

3. Indica cuál de los siguientes es considerado por Monfort como uno de los factores fundamentales que condicionan la adquisición del lenguaje:

a) Maduración biológica.
b) Capacidad de imitación.
c) Interacción.
d) Todas son correctas.

4. Indica cuál de las siguientes características es propia del código lingüístico restringido:

a) Está orientado hacia significados relativamente independientes del contexto.
b) Se puede centrar en realidades abstractas.
c) Se utiliza el lenguaje como vehículo natural de transmisión de conocimientos y no en la imposición de normas. La forma de controlar la conducta no se basa en las órdenes, sino que los padres anticipan el error y advierten al niño sobre las consecuencias de sus acciones, de este modo aprenden a reflexionar y a anticipar consecuencias.
d) Los adultos se dirigen al niño en forma interrogativa solamente el 25 % de las veces.

5. Acerca del concepto de lenguaje no es cierto que:

a) Es una representación interna de la realidad construida a través de un medio de comunicación aceptado socialmente.
b) El lenguaje, es, probablemente, la capacidad más específicamente humana, aunque hay especies animales que utilizan un lenguaje en su comunicación.
c) El lenguaje es necesario para relacionarnos con los demás, interpretar la realidad, categorizarla, analizarla y adquirir conocimiento sobre ella, así como para la regulación del comportamiento.
d) Todas son ciertas.

6. Un acto comunicativo en el que la acción dirigida a un receptor puede ser interpretada por él y actuar en consecuencia es:

a) Lenguaje.
b) Comunicación.
c) Habla.
d) Relación.

7. Acerca de las consideraciones de Chomsky sobre el lenguaje no es cierto que:

a) Los rasgos comunes a todas las lenguas los llamó universales lingüísticos.
b) El lenguaje es una capacidad exclusivamente humana que separa al hombre de las demás especies animales.
c) Los universales lingüísticos forman parte del código genético de los humanos.
d) La adquisición del lenguaje sería un proceso de desplegamiento de capacidades socialmente desencadenadas.

8. En relación con el lenguaje, y según la postura de Piaget, señala el enunciado incorrecto:

a) La posibilidad de emplear y combinar palabras responde a la aparición de una capacidad previa: la función semiótica.
b) Existe a una capacidad cognitiva general de la cual el lenguaje es expresión.
c) Para que el niño sea capaz de desarrollar el lenguaje es necesario una capacidad cognitiva general.
d) Para que el niño pueda utilizar el lenguaje es preciso que sea capaz de utilizar los símbolos.

9. La consideración de la existencia de un dispositivo de adquisición del lenguaje (LAD) que permite a todo ser humano desarrollar estructuras gramaticales de su lengua a partir de una gramática innata y universal, es una afirmación de la teoría:

a) Conductista.
b) Generativa Transformacional.

c) Cognitiva.
d) Ninguna de las anteriores.

10. En relación con el desarrollo fonológico en el niño señala el enunciado incorrecto:

a) Los primeros fonemas en adquirirse son de tipo vocálico, oclusivo y nasal (p, t, b, d, k, g m, n, ñ).
b) Los fonemas se adquieren unos en relación con otros modificando, cada nueva adquisición, la totalidad del sistema fonológico anteriormente adquirido.
c) Es un desarrollo que abarca desde los 6 meses hasta los 4 años.
d) La aparición de los sonidos de la lengua se realiza en un orden que varía ligeramente de un niño e otro, sin embargo, el ritmo de adquisición suele ser bastante variable.

11. Cuando un niño pronuncia "peta" en lugar de puerta, desde el punto de vista fonológico está realizando un proceso de:

a) Asimilación.
b) Sustitución.
c) Simplificación.
d) Elipsis.

12. Acerca del desarrollo semántico en el lenguaje del niño, ¿puede identificar la respuesta errónea?

a) Las primeras palabras que produce el niño ocurren entre los 12-18 meses.
b) La sobreextensión se refiere al uso de varias palabras con un significado.
c) Entre los 2 y los 6 años el incremento del vocabulario es sorprendente.
d) La organización semántica alude fundamentalmente a tres aspectos lingüísticos: el aumento del léxico o vocabulario, su estructuración en determinadas categorías y el establecimiento de relaciones significativas entre las palabras.

13. En relación con el desarrollo morfosintáctico en el lenguaje del niño, no es cierto que:

a) La palabra-frase normalmente se da desde los 10 a 14 meses.
b) De los 18 a los 24 meses aparecen las primeras combinaciones de dos palabras.
c) A partir de los 30 meses el niño consigue la estructura básica de la frase: Sujeto-Verbo- Objeto.
d) Hacia el final del segundo año de vida (20-24 meses) aparecen las primeras flexiones en forma de marcas de plural (-s) y de género (-o, -a).

14. Acerca del desarrollo pragmático en el lenguaje del niño, ¿puede identificar el enunciado incorrecto sobre la función protoimperativa?

a) La primera función comunicativa que aparece en el desarrollo evolutivo es la protoimperativa.
b) La función protoimperativa es prelingüística.

c) La finalidad de la función protoimperativa es establecer relaciones sociales.
d) La función protodeclarativa es anterior a la protoimperativa.

15. ¿Cuál de las siguientes habilidades lingüísticas se logra alrededor de los 4 años?

a) Empieza a controlar el singular y plural.
b) Empleo del tiempo verbal futuro.
c) Usa conjunciones y entiende preposiciones.
d) Tendencia a hacer preguntas que den una salida del egocentrismo a la socialización.

Solución al test n.º 9

1. c) Genética.

2. a) Función reguladora: establecer relaciones sociales.

3. d) Todas son correctas.

4. d) Los adultos se dirigen al niño en forma interrogativa solamente el 25 % de las veces.

5. b) El lenguaje, es, probablemente, la capacidad más específicamente humana, aunque hay especies animales que utilizan un lenguaje en su comunicación.

6. b) Comunicación.

7. d) La adquisición del lenguaje sería un proceso de desplegamiento de capacidades socialmente desencadenadas.

8. a) La posibilidad de emplear y combinar palabras responde a la aparición de una capacidad previa: la función semiótica.

9. b) Generativa Transformacional.

10. c) Es un desarrollo que abarca desde los 6 meses hasta los 4 años.

11. c) Simplificación.

12. b) La sobreextensión se refiere al uso de varias palabras con un significado.

13. a) La palabra-frase normalmente se da desde los 10 a 14 meses.

14. d) La función protodeclarativa es anterior a la protoimperativa.

15. c) Usa conjunciones y entiende preposiciones.

TEST N.º 10

Desarrollo lógico-matemático en el primer ciclo de Educación Infantil. Intervención educativa

1. Todas son propiedades del pensamiento preconceptual excepto:

a) Transducción.
b) Yuxtaposición.
c) Sincretismo.
d) Centración y representación dinámica.

2. Según la teoría de Piaget, ¿en qué estadio estaría un niño de quince meses de edad?

a) Preoperacional.
b) Operacional.
c) Sensoriomotor.
d) Ninguna es correcta.

3. A continuación se enuncian una serie de afirmaciones referidas a hitos evolutivos del pensamiento matemático. Una de ellas contiene un error, ¿sabe cuál?

a) La posibilidad de clasificar y establecer clases supraordinarias aparece a partir de los 7-8 años.
b) Los niños a partir de los 2 años y medio son capaces de establecer categorías de objetos a un nivel básico: agrupa perro con perro, vaso con vaso.
c) A los 5 años, resuelven tareas de clasificar en dos grupos y con un criterio perceptivo.
d) Las opciones a y b son falsas.

4. Existen tres tipos de esquemas que articulan la mayor parte del conocimiento infantil. Señala el incorrecto:

a) Escena.
b) Suceso.
c) Reflejos.
d) Historia.

5. Según las investigaciones de Gelman y Gallistel sobre la adquisición de las nociones de cuantificación y su aplicación aritmética, los principios fundamentales son todos los siguientes. Identifique el incorrecto:

a) El principio de irrelevancia del orden establece el carácter arbitrario de la asociación entre un determinado objeto y un número.
b) El principio cómputo total establece que el último número de una secuencia numérica corresponde al valor cardinal del conjunto.
c) El principio de abstracción define como enumerables sólo los objetos abstractos.
d) Todos los principios enunciados anteriormente son correctos.

6. En relación con la formación de las nociones espacio-temporales y formas geométricas, ¿cuál de las siguientes afirmaciones no es cierta?

a) Las figuras planas que pueden trabajarse en Educación Infantil son: círculo, rectángulo, triángulo. Igualmente, podrían trabajarse algunas formas del espacio en tres dimensiones (esfera, cubo).
b) Sobre el tercer año, no comprende el futuro, su versión sobre el pasado es muy vaga.
c) En el período intuitivo el niño piensa que el tiempo se incorpora a los hechos y cada hecho tiene su propio tiempo.
d) Las opciones b y c son correctas.

7. El conocimiento por parte del sujeto de sus propios procesos mentales y la regulación del conocimiento son procesos que se incluyen en:

a) Desarrollo del conocimiento categorial.
b) Formación de las nociones espacio-temporales.
c) Metacognición.
d) Procesos mentales lógico temporales.

8. Los bloques lógicos son un material muy utilizado en la Educación Infantil, con gran aplicabilidad en nociones matemáticas. ¿Sabe cuál es la opción verdadera en relación a su uso y características?

a) En las actividades de construcción libre se pretende familiarizar al niño con el material.
b) Los bloques lógicos son un material sensorial creado por el matemático Pitágoras.
c) Las sesiones tienen una duración recomendada de 30 minutos.
d) Las opciones b y c son correctas.

9. ¿Cuáles son los tres colores de los bloques lógicos?

a) Azul, amarillo y rojo.
b) Azul, verde y rojo.
c) Amarillo verde y rojo.
d) Azul, amarillo y verde.

10. La finalidad de trabajar con materiales continuos y separados es llevar al niño a:

a) La conservación de la cantidad.
b) La numeración.
c) La capacidad de ordenar.
d) La capacidad de realizar seriaciones.

11. Para poder abordar la enseñanza de un número previamente se habrán trabajado habilidades matemáticas como:

a) Noción de cantidad global.
b) Diferenciación perceptiva de formas, colores, tamaños...
c) Iniciación en las nociones de conservación.
d) Todas son correctas.

12. Una de las actividades previas para el aprendizaje del número puede ser:

a) Separación e integración de las partes en el todo: puzles, encajables...
b) Agrupar objetos: a partir de un montón de botones, cuentas o cualquier objeto; "hacer grupos de tres".
c) Actividades de psicomotricidad: "tres pasos, tres altos y tres palmas".
d) Dibujar el número sobre diferentes superficies: arena, arcilla, aire, propio cuerpo...

13. Se trata de una actividad para el reconocimiento y comprensión de la grafía de número de forma plurisensorial:

a) Clasificaciones: con bloques lógicos u objetos del entorno de acuerdo a criterios diversos.
b) Ejercicios de pre-escritura: necesarios para el control del trazo y realización de formas concretas: bucles, espirales, palotes...
c) Andar sobre el número dibujado en el suelo.
d) Todas son correctas.

14. En progresión que vamos a seguir con las nociones espaciales tendremos en cuenta que en educación infantil el primer paso será:

a) Aplicación de las nociones con objetos: pongo dentro/fuera de la caja.
b) Con el propio cuerpo: manos dentro del bolsillo, lengua dentro/fuera de la boca...
c) Sobre el papel: (simbolización: pinta sobre la ficha lo que está dentro/fuera).
d) El orden en esta progresión es indiferente.

15. La organización temporal está constituida por dos componentes esenciales que son:

a) El orden y la duración.
b) Dimensión lógica y dimensión convencional.

c) Tiempo estructurado y tiempo vivenciado.
d) Ninguna es correcta.

Solución al test n.º 10

1. d) Centración y representación dinámica.

2. c) Sensoriomotor.

3. a) La posibilidad de clasificar y establecer clases supraordinarias aparece a partir de los 7-8 años.

4. c) Reflejos.

5. b) El principio cómputo total establece que el último número de una secuencia numérica corresponde al valor cardinal del conjunto.

6. b) Sobre el tercer año, no comprende el futuro, su versión sobre el pasado es muy vaga.

7. c) Metacognición.

8. d) Las opciones b y c son correctas.

9. a) Azul, amarillo y rojo.

10. a) La conservación de la cantidad.

11. d) Todas son correctas.

12. a) Separación e integración de las partes en el todo: puzles, encajables...

13. c) Andar sobre el número dibujado en el suelo.

14. b) Con el propio cuerpo: manos dentro del bolsillo, lengua dentro/fuera de la boca...

15. a) El orden y la duración.

TEST N.º 11

La influencia de la imagen en Educación Infantil. Criterios de selección y utilización de los recursos digitales y audiovisuales

1. Según el informe *Young Children (0-8) and digital technology: A qualitative exploratory study across seven countries*, ¿cuál de las siguientes afirmaciones es incorrecta?

a) El uso predominante que hacen los niños de las tecnologías es el entretenimiento.
b) Los elementos preferidos por los pequeños son la táblet y el teléfono.
c) La mayor parte de aprendizajes necesarios para el uso de las tecnologías se hace por ensayo/error.
d) Los usuarios de menor edad se sirven del reconocimiento de logos e imágenes para usar las tecnologías.

2. ¿Cuál de las siguientes afirmaciones, según el estudio mencionado, no es correcta?

a) El uso predominante de las TIC suele ser social.
b) Uno de los mayores riesgos es la falta de pensamiento crítico o la no distinción de los límites entre lo real y lo irreal.
c) Algunos menores usan las TIC de forma creativa.
d) Se ha observado que el aprendizaje es más profundo cuando tienen hermanos mayores.

3. Respecto a cómo perciben los diferentes miembros de las familias el uso de las tecnologías, señala el enunciado correcto:

a) Las actividades favoritas de los pequeños son de tipo musical.
b) El uso principal que hacen los padres es como recompensa.
c) Entre las mayores preocupaciones de la familia en el uso de las TIC por los menores, se encuentra la publicidad encubierta.
d) Las familias advierten antes los beneficios que los riesgos del uso de las TIC.

4. Todos los siguientes podrían ser aprendizajes planteables con el ordenador en la etapa de Infantil excepto:

a) Uso del teclado.
b) Manejo del ratón.

c) Búsquedas abiertas.
d) Entrada y salida en programas.

5. Acerca del planteamiento educativo de las TIC en Educación Infantil no es cierto que:

a) Se plantean como un medio.
b) Se plantean como un fin.
c) Su planificación depende del centro y equipo docente, pues el currículo no las plantea de forma concreta.
d) La metodología será transversal.

6. En la Ley Orgánica de Educación 2/06 del 3 de mayo (LOE) modificada por la LOMLOE, las TIC para la etapa están recogidas en:

a) Artículos 13 y 14.
b) Artículos 12 y 13.
c) Artículos 14 y 15.
d) En todos los anteriores.

7. ¿En cuál de las áreas del currículo de la etapa se localizan los contenidos referidos a las TIC?

a) Área I. Crecimiento en armonía.
b) Área II. Descubrimiento y exploración del entorno.
c) Área III. Comunicación y representación de la realidad.
d) En todas ellas están mencionados.

8. ¿Cuál de las siguientes no podría ser considerada una potencialidad en el uso de las TIC para la enseñanza?

a) Actividad.
b) Individualización.
c) Autonomía.
d) Todas lo son.

9. ¿Cuál de los siguientes no es un ámbito del desarrollo que se encuentra claramente potenciado con el uso de las TIC?

a) Aprendizaje experiencial.
b) Atención y memoria.
c) Discriminación sensorial.
d) Coordinación óculo-manual.

10. Todas las siguientes alternativas expresan posibles aspectos negativos o limitaciones que presenta el uso de las TIC excepto una. ¿Puedes indicar de cuál se trata?

a) Formación del profesorado.
b) Infraestructuras.
c) Carestía.
d) Legislación insuficiente.

11. ¿Quién lanzó en 2023 el Plan Digital Familiar, una guía de recomendaciones adaptada a las necesidades de cada familia y a la edad de los menores que la componen?

a) El Ministerio de Educación, Formación Profesional y Deportes.
b) El Ministerio de Sanidad.
c) La Consejería de Desarrollo Educativo y Formación Profesional.
d) la Asociación Española de Pediatría.

12. Una de las recomendaciones de la AEP sobre el uso de pantallas en niños menores de 6 años es:

a) Limitar el uso digital a videollamadas con familiares y amigos.
b) Utilizar únicamente como medio de gestión emocional (rabietas).
c) En caso de que se utilicen, elegir contenidos con cambios de imágenes rápidos, con colores estridentes o ruidos fuertes que estimulen los procesos atencionales.
d) Todas son correctas.

13. ¿Cuál de los siguientes no es un claro criterio de selección en el uso de recursos TIC para la Educación Infantil?

a) Vinculación al marco didáctico y curricular.
b) Mejor los que conllevan conclusiones y opiniones adecuadas.
c) Uso comunitario.
d) Complejidad en el uso.

14. En relación con la fotografía como recurso audiovisual, señala el enunciado incorrecto:

a) Es una representación simbólica de la realidad.
b) Puede trabajarse la interpretación y la creación.
c) Deber ser un recurso que fomente la actividad, no un uso pasivo.
d) La rotulación debe reforzar los contenidos que se desean trabajar.

15. Todas las siguientes son funciones que cumplen los recursos de imagen en movimiento excepto:

a) Instructiva.
b) Informativa.
c) Motivadora.
d) Todas lo son.

Solución al test n.º 11

1. c) La mayor parte de aprendizajes necesarios para el uso de las tecnologías se hace por ensayo/error.

2. a) El uso predominante de las TIC suele ser social.

3. b) El uso principal que hacen los padres es como recompensa.

4. c) Búsquedas abiertas.

5. c) Su planificación depende del centro y equipo docente, pues el currículo no las plantea de forma concreta.

6. a) Artículos 13 y 14.

7. c) Área II. Descubrimiento y exploración del entorno.

8. d) Todas lo son.

9. a) Aprendizaje experiencial.

10. d) Legislación insuficiente.

11. d) la Asociación Española de Pediatría.

12. a) Limitar el uso digital a videollamadas con familiares y amigos.

13. b) Mejor los que conllevan conclusiones y opiniones adecuadas.

14. a) Es una representación simbólica de la realidad.

15. d) Todas lo son.

TEST N.º 12

Las áreas del currículum en el primer ciclo de Educación Infantil. Estrategias para su desarrollo desde una perspectiva globalizada

1. La normativa que desarrolla el currículo del primer ciclo en la Comunidad Valenciana es:

a) Real Decreto 95/2022, de 1 de febrero.
b) Orden ECI/3960/202107 de 19 de diciembre.
c) Decreto 100/2022, de 29 de julio.
d) Decreto 27/2021, de 6 de junio.

2. En la normativa vigente que establece el currículo del primer ciclo de la Educación Infantil en la Comunidad Valenciana, las áreas se especifican en el:

a) Artículo 4.
b) Artículo 8.
c) Artículo 10.
d) Artículo 15.

3. Según el artículo 7 del Decreto de currículo de la comunidad valenciana ¿cuál no es uno de los elementos del currículo?

a) Competencias específicas.
b) Objetivos.
c) Saberes básicos.
d) Situaciones de aprendizaje.

4. ¿En qué área del currículo de educación infantil se tiene en cuenta también la iniciación al lenguaje científico y matemático?

a) Conocimiento de sí mismo y autonomía personal.
b) Crecimiento en armonía.
c) Descubrimiento y exploración del entorno.
d) Comunicación y representación de la realidad.

5. ¿En qué área de la educación infantil se atiende el desarrollo físico y motor, la adquisición gradual del control de sí mismo y el proceso gradual de construcción de la propia identidad, fruto de las interacciones con los otros y con el entorno, y se destaca la importancia de propiciar y favorecer interacciones sanas, sostenibles, eficaces, igualitarias y respetuosas?

a) Conocimiento de sí mismo y autonomía personal.
b) Crecimiento en armonía.
c) Descubrimiento y exploración del entorno.
d) Comunicación y representación de la realidad.

6. ¿Cuántas competencias específicas se proponen en el área de Descubrimiento y exploración del entorno?

a) Tres.
b) Cuatro.
c) Cinco.
d) Seis.

7. ¿Cuántas competencias específicas se proponen en el área de d) Comunicación y representación de la realidad?

a) Tres.
b) Cuatro.
c) Cinco.
d) Seis.

8. ¿Cuántas competencias específicas se proponen en el área de crecimiento en armonía?

a) Tres.
b) Cuatro.
c) Cinco.
d) Seis.

9. ¿A qué área pertenece la competencia específica "Tomar iniciativa, planificar y secuenciar la propia acción, de manera individual o en grupo, con el fin de afrontar retos y resolver tareas o problemas sencillos en el contexto del día a día"?

a) Conocimiento de sí mismo y autonomía personal.
b) Crecimiento en armonía.
c) Descubrimiento y exploración del entorno.
d) Comunicación y representación de la realidad.

10. ¿A qué área pertenece la competencia específica "Identificar e intervenir en las acciones y situaciones presentes en la vida cotidiana que ponen en riesgo la sostenibilidad del entorno próximo, mediante el cuidado y la conservación de este y el bienestar de las personas, y reconocer las relaciones básicas entre sí"?

a) Conocimiento de sí mismo y autonomía personal.
b) Crecimiento en armonía.
c) Descubrimiento y exploración del entorno.
d) Comunicación y representación de la realidad.

11. De cuantos bloques de saberes básicos consta el área de Descubrimiento y exploración del entorno para el primer ciclo de educación infantil?

a) Dos.
b) Tres.
c) Cuatro
d) Cinco.

12. ¿A qué bloque de saberes básicos corresponde el contenido "Cuantificadores básicos contextualizados"?

a) Observación y experimentación del entorno inmediato físico y natural.
b) Curiosidad, iniciación al pensamiento científico y al razonamiento lógico desde la creatividad.
c) Valoración, respeto, cura y acción sobre el entorno.
d) Iniciación a las matemáticas.

13. Es uno de los bloques de saberes básicos del área de crecimiento en armonía para el primer ciclo de educación infantil:

a) Procesos de vinculación afectiva.
b) Juego exploratorio, sensorial, simbólico y motor.
c) Imagen corporal y lateralidad.
d) Construcción de la identidad y la autonomía en relación con los otros.

14. ¿Cuál es uno de los contenidos del Bloque A: descubrimiento de los lenguajes dentro del área de Comunicación y representación de la realidad?

a) Materiales, colores, texturas, técnicas y procedimientos plásticos.
b) Escucha activa y comprensión de palabras y mensajes orales sencillos en las dos lenguas oficiales.
c) Convivencia con la diversidad lingüística y cultural del aula y del entorno.
d) Todas son correctas.

15. ¿A qué área corresponde el criterio de evaluación "Tomar la iniciativa en la interacción social y disfrutar de las situaciones comunicativas con una actitud respetuosa"?

a) Conocimiento de sí mismo y autonomía personal.
b) Crecimiento en armonía.
c) Descubrimiento y exploración del entorno.
d) Comunicación y representación de la realidad.

Solución al test n.º 12

1. c) Decreto 100/2022, de 29 de julio.

2. c) Artículo 10.

3. b) Objetivos.

4. d) Comunicación y representación de la realidad.

5. b) Crecimiento en armonía.

6. a) Tres.

7. d) Seis.

8. c) Cinco.

9. b) Crecimiento en armonía.

10. c) Descubrimiento y exploración del entorno.

11. b) Tres.

12. a) Observación y experimentación del entorno inmediato físico y natural.

13. d) Construcción de la identidad y la autonomía en relación con los otros.

14. a) Materiales, colores, texturas, técnicas y procedimientos plásticos.

15. d) Comunicación y representación de la realidad.

TEST N.º 13

Función educativa de la familia. Colaboración y participación de las familias en la acción educativa del centro

1. La familia constituida por los cónyuges y los hijos que con ellos conviven, se denomina:

a) Familia biológica.
b) Familia nuclear.
c) Familia compuesta.
d) Familia conjunta.

2. "La educación que las familias proporcionaban a los hijos tenían como objetivo el desarrollo de los hijos para el sostenimiento de los padres en la vejez. En el caso de las niñas, no recibían instrucción formal, eran educadas por la madre y personas allegadas para cumplir un papel pasivo en la sociedad". ¿A qué cultura histórica corresponde este concepto de educación familiar?

a) A la antigua Grecia.
b) Al Medievo.
c) A la Revolución industrial.
d) A Egipto.

3. La clasificación de las familias en extensa y nuclear es un enfoque correspondiente a una de las siguientes opciones:

a) Intervención sociocomunitaria.
b) Constitución española.
c) Trabajo social.
d) Código Civil.

4. La familia monoparental se caracteriza por:

a) La pareja vive junta, pero sin haber formalizado el matrimonio.
b) La convivencia de un solo miembro de la pareja –varón o mujer– con hijos no emancipados.

c) Los hijos adultos cuidan y mantienen a los padres longevos.
d) Son familias en las que las reglas cambian constantemente.

5. La teoría de los ciclos de vida en la dinámica familiar se la debemos a:

a) Erikson.
b) Freud.
c) Piaget.
d) Bertalanffy.

6. Indica cuál de las siguientes características corresponde a los grupos primarios de socialización:

a) Son los primeros que intervienen en la configuración de la identidad personal y en la evolución social.
b) La individualidad surge de la relación entre los miembros del grupo primario.
c) Son la clave para explicar la naturaleza social del hombre y su desarrollo.
d) Todas las anteriores.

7. ¿Qué entendemos por "función socializadora de la familia"?

a) Que la familia está insertada en una sociedad con unos prototipos establecidos.
b) Que la familia le va a ir explicando poco a poco al niño cuales son las funciones que este tiene que cumplir socialmente.
c) Que la familia es el lugar de las primeras relaciones interpersonales. El niño comienza a conocer a los otros, sus relaciones, y el papel particular de cada uno.
d) Que dentro de lo que es la unidad familiar, el niño tiene que ir asumiendo poco a poco un rol que le ayudará a integrarse en la sociedad.

8. En el estilo de comportamiento de los padres y su influencia sobre el niño destacan cuatro dimensiones (Moreno y Cubero, 1990). Indica la que no corresponde:

a) El grado de control.
b) La comunicación padres-hijos.
c) La permisividad.
d) El afecto en la relación.

9. Bajos niveles de control, pero altos niveles en comunicación y afecto, es característico de:

a) Padres autoritarios.
b) Padres permisivos.

c) Padres democráticos.
d) Ninguno de los anteriores.

10. Suelen originar en los hijos desconfianza, retracción y baja competencia social. Nos referimos a:

a) Padres autoritarios.
b) Padres permisivos.
c) Padres democráticos.
d) Ninguno de los anteriores.

11. Bajos niveles de control, de exigencias de madurez, de comunicación y afecto, es característico de:

a) Padres autoritarios.
b) Padres permisivos.
c) Padres democráticos.
d) Ninguno de los anteriores.

12. Altos niveles de comunicación, afecto, control y exigencias de madurez, es característico de:

a) Padres autoritarios.
b) Padres permisivos.
c) Padres democráticos.
d) Ninguno de los anteriores.

13. Indica cuál de las siguientes respuestas es falsa:

a) Las relaciones entre hermanos están afectadas por el número de hermanos, el orden de nacimiento, el sexo, etc.
b) Las parejas de hermanos del mismo sexo se implican con mayor frecuencia en interacciones cálidas y en la imitación mutua de comportamientos.
c) Los hermanos mayores adoptan actitudes y comportamientos más afectuosos que los hermanos menores.
d) Los hermanos pequeños de familias numerosas reciben menos atenciones de los mayores que los de familias con pocos hijos.

14. Los cauces y formas de participación de los padres en el Centro de Educación Infantil deben concretarse en:

a) El Proyecto Educativo.
b) El Proyecto de Gestión.
c) La Programación General Anual.
d) La Memoria Anual.

15. Según el artículo 119 de la LOE, la comunidad educativa participará en el gobierno de los centros a través de:

a) Tutorías.
b) Consejo escolar.
c) Claustro.
d) La comunidad educativa no puede participar en el gobierno de los centros.

Solución al test n.º 13

1. b) Familia nuclear.

2. a) A la antigua Grecia.

3. d) Código Civil.

4. b) La convivencia de un solo miembro de la pareja –varón o mujer– con hijos no emancipados.

5. a) Erikson.

6. d) Todas las anteriores.

7. c) Que la familia es el lugar de las primeras relaciones interpersonales. El niño comienza a conocer a los otros, sus relaciones, y el papel particular de cada uno.

8. c) La permisividad.

9. b) Padres permisivos.

10. a) Padres autoritarios.

11. d) Ninguno de los anteriores.

12. c) Padres democráticos.

13. d) Los hermanos pequeños de familias numerosas reciben menos atenciones de los mayores que los de familias con pocos hijos.

14. a) El Proyecto Educativo.

15. b) Consejo escolar.

TEST N.º 14

Tratamiento de los lenguajes en el primer ciclo de Educación Infantil. El trabajo de la expresión y la comunicación. Valor educativo de la multiculturalidad y tratamiento del plurilingüismo. La expresión y la comunicación oral, corporal, plástica, musical, etc

1. Acerca del aprendizaje de lengua extranjera en edades tempranas, señala el enunciado incorrecto:

a) En las primeras edades el oído posee una mayor plasticidad para poder captar y discriminar y posteriormente reproducir, distintos tipos de fonemas.
b) En la infancia existe una predisposición natural para aprender una lengua.
c) La lengua extranjera se adquiere con la misma naturalidad que el idioma materno.
d) La necesidad de aprender lenguas extranjeras en edades tempranas se deriva también de las exigencias de la propia sociedad.

2. Todos los siguientes son factores que condicionan el proceso de enseñanza-aprendizaje de un idioma en la etapa de Educación Infantil, excepto:

a) La historia previa de implantación y tratamiento de la lengua extranjera en el centro.
b) El contexto escolar y el medio social y cultural del alumnado.
c) El apoyo institucional y familiar, que está directamente relacionado con el anterior punto.
d) La función curricular de la lengua extranjera en la etapa de Educación Infantil y el enfoque metodológico adoptado.

3. Acerca del enfoque metodológico para la enseñanza de la lengua extranjera en Educación infantil, no es cierta una de las siguientes respuestas. Identifícala:

a) En la Educación Infantil no es necesario integrar el idioma en el currículo establecido.
b) El enfoque será de inmersión.
c) Requiere no "enseñar inglés" sino "en inglés".
d) Se llevará a cabo en situaciones y contextos significativos y cotidianos.

4. Todos los siguientes son aspectos clave para la planificación del aprendizaje de la lengua extranjera en la Educación Infantil. Señala el que no tiene esta consideración de relevante:

a) Creación de espacios y horarios para el tratamiento de lengua extranjera.
b) Coordinación de especialistas implicados.
c) Las características y necesidades individuales de los niños, sus conocimientos previos, ritmos y estilos de aprendizaje, capacidades y gustos.
d) Oferta educativa complementaria de idiomas en el centro como actividad extraescolar.

5. En relación con la participación de la familia en el proceso, señala la respuesta falsa:

a) Necesitamos saber la lengua de origen de las familias y su nivel aproximado de conocimiento de lengua inglesa.
b) Delimitación de las posibilidades de la familia en la colaboración para proyectos y tareas escolares.
c) Establecimiento de vías de coordinación y colaboración.
d) Todas son correctas.

6. Los modelos de educación bilingüe que se establecen en un centro han de considerar todas las siguientes circunstancias excepto:

a) La proporción de alumnos nativos/migrantes.
b) El nivel educativo en que se desarrolle.
c) La proporción lengua/contenidos.
d) El grado de conocimientos previos del alumnado.

7. Siendo L1 la lengua materna y L2 la lengua extranjera, indica a qué modelo corresponde la siguiente descripción: Conlleva la separación de los aprendices de L2 de los estudiantes nativos. Proporciona a las minorías una oportunidad de acceder al conocimiento de la lengua de modo intensivo.

a) Modelo de inmersión.
b) Modelo basado en temas.
c) Modelo de refugio.
d) Modelo intensivo a través de contenidos.

8. Rennie (1993) y McGroarty (2001), establecen varios programas de educación bilingüe. ¿Cuál no se corresponde con la clasificación de estos autores?

a) Modelo de educación bilingüe transitoria.
b) Modelo de educación bilingüe progresivo.
c) Modelo de educación bilingüe de mantenimiento.
d) Modelo de inmersión.

9. Acerca del mediador anglohablante no es cierto que:

a) Puede ser un muñeco, peluche y objeto que hace de mediador en la comunicación en lengua extranjera.

b) A los niños les sirve para entender que en ese momento y a partir de su aparición, la lengua de comunicación no es la materna.

c) Permite introducir historias, anécdotas de una forma motivadora, con otros tonos de voz.

d) Siempre debe ser una persona.

10. Acerca de la creación de un espacio o rincón de lengua extranjera, no es cierto que:

a) Al igual que el resto de rincones, debe usarse de modo libre y no dirigido.

b) Ayuda a los niños a relacionar el espacio con la comunicación en la nueva lengua, aportando seguridad y facilitando la interacción.

c) Conviene decorarlo y dotarlo de una cultura propia.

d) Es importante que el rincón esté dotado de un protagonista que hable en inglés, el cual termina por convertirse en el personaje principal o mascota de la clase.

11. Todas las siguientes pueden ser consideradas estrategias metodológicas adecuadas para la comprensión y uso de la lengua extranjera excepto:

a) Recurrir a rimas y canciones para facilitar el aprendizaje de la lengua de aula.

b) Ayudarse del lenguaje corporal y de otros medios de comunicación no verbal.

c) Procurar utilizar las mismas frases hechas *chunks of language* acompañando a cada rutina de clase.

d) Traducir los enunciados para favorecer la comprensión.

12. Identifica la definición incorrecta:

a) Bilingüismo aditivo: cuando se valoran las dos lenguas por igual.

b) Bilingüismo intercultural: cuando además de la lengua se conoce la cultura.

c) Bilingüismo sustractivo: cuando se valora más una lengua que otra.

d) Bilingüismo simultáneo: cuando ambas lenguas se aprenden a la par.

13. Desde un punto de vista teórico pueden darse tres situaciones de bilingüismo social. ¿Cuál de las siguientes no es una de ellas?

a) Un país en el que el bilingüismo existe en la ley, pero no en la realidad.

b) Un país donde hay dos grupos sociales, uno es monolingüe y el otro bilingüe.

c) Un país en que hay dos lenguas correspondientes a dos grupos humanos diferentes, que hablan cada uno la suya.

d) Todos los hablantes son bilingües.

14. La parte de la gramática que estudia el modo en que se combinan las palabras y los grupos que estas forman para expresar significados, así como las relaciones que se establecen entre todas esas unidades, se denomina:

a) Fonética.
b) Fonología.
c) Morfología.
d) Sintaxis.

15. El nivel pragmático del lenguaje:

a) Está formado por los sonidos o fonemas que producimos al hablar.
b) Se refiere a las estructuras o formas de las palabras clasificándolas en categorías.
c) Se refiere a las unidades lingüísticas que tienen significado.
d) Está formado por el conjunto de conocimientos y habilidades cognitivas y sociolingüísticas, las cuales proporcionan el adecuado uso de la lengua en un contexto comunicativo.

Solución al test n.º 14

1. c) La lengua extranjera se adquiere con la misma naturalidad que el idioma materno.

2. a) La historia previa de implantación y tratamiento de la lengua extranjera en el centro.

3. a) En la Educación Infantil no es necesario integrar el idioma en el currículo establecido.

4. d) Oferta educativa complementaria de idiomas en el centro como actividad extraescolar.

5. d) Todas son correctas.

6. a) La proporción de alumnos nativos/migrantes.

7. c) Modelo de refugio.

8. b) Modelo de educación bilingüe progresivo.

9. d) Siempre debe ser una persona.

10. a) Al igual que el resto de rincones, debe usarse de modo libre y no dirigido.

11. d) Traducir los enunciados para favorecer la comprensión.

12. b) Bilingüismo intercultural: cuando además de la lengua se conoce la cultura.

13. a) Un país en el que el bilingüismo existe en la ley, pero no en la realidad.

14. d) Sintaxis.

15. d) Está formado por el conjunto de conocimientos y habilidades cognitivas y sociolingüísticas, las cuales proporcionan el adecuado uso de la lengua en un contexto comunicativo.

TEST N.º 15

Literatura infantil. El valor educativo del cuento. Características y tipos de cuentos. Estrategias metodológicas y actividades del cuento

1. ¿En qué se diferencian la definición abierta y la cerrada del término 'literatura infantil'?

a) Se diferencian principalmente en que la definición abierta incluye a los niños y la última no.

b) Se diferencian principalmente en que la primera admite varios soportes y códigos distintos del escrito, mientras la segunda solo admite el soporte escrito.

c) Se diferencian principalmente en que la primera solo atiende al destinatario ('infantil'), y la segunda se centra en el soporte ('literatura').

d) Se diferencian principalmente en que la primera está dirigida al público infantil específicamente y la segunda solo al público adulto.

2. ¿Por qué excluimos las producciones audiovisuales de la definición de 'literatura infantil'?

a) Porque no tienen nada que ver con el lenguaje escrito.

b) Porque el soporte es totalmente diferente.

c) Ninguna es correcta.

d) Por encuadrarlas dentro del cine, sin otro particular.

3. Entre las características que presentan las producciones reconocidas como literatura infantil, se encuentran:

a) Estar dirigidas al público infantil, ser del interés de niños y adultos, resultar bonitas.

b) Estar dirigidas al público infantil y juvenil, ser del interés de niños y jóvenes y resultar bonitas.

c) Estar dirigidas al público infantil y juvenil, ser del interés de niños y jóvenes y tener la intención de resultar bonitas.

d) Estar dirigidas al público infantil, ser del interés de niños y tener la intención de resultar bonitas.

4. ¿Cuáles son las dos importantes dimensiones que nos permiten clasificar las producciones infantiles?

a) El código y la modalidad (escrita o hablada).
b) La modalidad escrita o hablada y el soporte.
c) El soporte y código y el contenido (géneros).
d) El soporte lingüístico o pictórico y el código.

5. ¿Qué es el soporte?

a) Es el grado de conocimiento del autor.
b) Es el medio donde se plasma y distribuye la obra.
c) Es el medio que soporta al código.
d) Es el medio (lingüístico o pictórico) en el que se plasma la obra.

6. ¿Qué es el código?

a) Son las claves que permiten interpretar la obra.
b) El idioma original en que se escribió la obra.
c) Su estructura y las operaciones que permite.
d) Es la notación (lingüística o pictórica) en la que el cuento está codificado.

7. Dentro de la tradición oral del cuento, ¿qué tres grandes géneros encontramos?

a) Los cuentos maravillosos, los cuentos mínimos y los cuentos de costumbres.
b) Los cuentos de fórmula, los cuentos de costumbres y los cuentos de hadas.
c) Los cuentos de animales, los cuentos maravillosos y los cuentos de fórmula.
d) Los cuentos mágicos, los cuentos de costumbres y los cuentos mínimos.

8. Además de los cuentos, ¿qué otros géneros existen dentro de la modalidad de la tradición oral?

a) Las poesías, las adivinanzas y los trabalenguas.
b) Las elocuciones, las adivinanzas y los trabalenguas.
c) Los trabalenguas, las engañifas, las poesías y las adivinanzas.
d) Los trabalenguas, las poesías, las adivinanzas y las elocuciones.

9. Dentro de la literatura infantil propiamente dicha (la concebida inicialmente en una modalidad escrita), tenemos:

a) Los cuentos populares, la novela de aventuras, los libros de misterio y otros (no clasificables en los anteriores).
b) La novela de aventuras, los libros de misterio y otros (no clasificables en los anteriores).
c) Toda la tradición oral recogida en lengua escrita, más la novela de aventuras, los libros de misterio y otros (no clasificables en los anteriores).
d) La novela de aventuras, los libros de misterio, otros (no clasificables en los anteriores), los libros de imágenes y los libros de historias en imágenes.

10. De entre los libros en imágenes podemos distinguir:

a) Los libros descontextualizados y los libros de historias en imágenes.
b) Los libros de historias en imágenes y los libros de imágenes contextualizados.
c) Los libros de historias en imágenes y los libros de imágenes descontextualizadas.
d) Los libros de imágenes, los libros de historias y otros (no clasificables en los anteriores).

11. Respecto al acceso a las producciones infantiles, entre los 6 y los 18 meses el niño es capaz de:

a) Distinguir medidas, colores, formas, etc., lo cual podrá ser estimulado por sus cuidadores.
b) Distinguir las primeras formas y asociarlas con sus colores, incluso con la palabra que las designa.
c) Fijarse en las figuras pequeñas, especialmente las de colores llamativos, y asociar los objetos y colores de las ilustraciones con las palabras que los designan.
d) Distinguir grandes ilustraciones, especialmente con colores llamativos, incluso con las palabras que los designan. Se recomiendan los libros-juguete, resistentes y de materiales no tóxicos.

12. Desde el punto de vista evolutivo del niño, entre los 3 y 4 años, los niños se sienten atraídos por:

a) Los cuentos de hadas, los cuales le son de mucho valor al niño.
b) Secuencias de acciones, ya que ahora sí son capaces de fijarse en figuras más pequeñas.
c) Las fábulas, los cuentos de animales y también los de seres mágicos.
d) Cualquiera de las anteriores, e incluso las historias extraídas de los libros de aventuras, dada la mayor soltura en el habla y su capacidad de recrear una secuencia.

13. ¿Cuáles son los ámbitos en los cuales el cuento tiene virtudes benefactoras para el niño?

a) El ámbito psicológico y el ámbito pedagógico y social.
b) El del afrontamiento de las situaciones adversas y el del desarrollo de la personalidad del niño.
c) El de la preparación para la vida y el del alentamiento del pensamiento crítico.
d) El del afrontamiento psicológico y el de la preparación para la vida.

14. Desde el punto de vista psicológico, los cuentos ayudan a:

a) El desarrollo cognitivo y de la imaginación, el pensamiento crítico, la atención y concentración, el afrontamiento y el desarrollo equilibrado de la personalidad del niño.
b) El fomento de la atención y la concentración, el desarrollo cognitivo, la fantasía e imaginación, superar el egocentrismo, el afrontamiento y el desarrollo equilibrado de la personalidad del niño.

c) Prepararse para la vida, el pensamiento crítico y el afrontamiento, el desarrollo equilibrado de la personalidad del niño, superando su egocentrismo y fomentando la atención y concentración, el desarrollo cognitivo y el de la fantasía e imaginación.

d) El desarrollo cognitivo y de la imaginación, la atención y concentración, el afrontamiento y el desarrollo equilibrado de la personalidad del niño.

15. Desde el punto de vista pedagógico y social, los cuentos ayudan a:

a) Prepararse para la vida, el pensamiento crítico y el afrontamiento, el desarrollo equilibrado de la personalidad del niño, superando su egocentrismo, la sensibilidad hacia la belleza y expresión y experiencias morales útiles.

b) Proporcionar experiencias morales útiles, satisfacer el deseo de aventura y la sensibilidad hacia la belleza y la expresión, al afrontamiento y la preparación para la vida.

c) Adquirir experiencias morales útiles, satisfacer el deseo de aventura y acceso a la lectura, al desarrollo de la sensibilidad hacia la belleza y expresión, el pensamiento crítico y, en general, a la preparación para la vida.

d) Al desarrollo del pensamiento crítico, la sensibilidad hacia la belleza y expresión y el interés por el aprendizaje de la lectura, a adquirir experiencias morales útiles, satisfacer el deseo de aventura y a la preparación para la vida.

Solución al test n.º 15

1. b) Se diferencian principalmente en que la primera admite varios soportes y códigos distintos del escrito, mientras la segunda solo admite el soporte escrito.

2. d) Por encuadrarlas dentro del cine, sin otro particular.

3. d) Estar dirigidas al público infantil, ser del interés de niños y tener la intención de resultar bonitas.

4. c) El soporte, el código y el contenido (géneros).

5. b) Es el medio donde se plasma y distribuye la obra.

6. d) Es la notación (lingüística o pictórica) en la que el cuento está codificado.

7. b) Los cuentos de fórmula, los cuentos de costumbres y los cuentos de hadas.

8. d) Los trabalenguas, las poesías, las adivinanzas y las elocuciones.

9. b) La novela de aventuras, los libros de misterio y otros (no clasificables en los anteriores).

10. c) Los libros de historias en imágenes y los libros de imágenes descontextualizadas.

11. d) Distinguir grandes ilustraciones, especialmente con colores llamativos, incluso con las palabras que los designan. Se recomiendan los libros-juguete, resistentes y de materiales no tóxicos.

12. c) Las fábulas, los cuentos de animales y también los de seres mágicos.

13. a) El ámbito psicológico y el ámbito pedagógico y social.

14. b) El fomento de la atención y la concentración, el desarrollo cognitivo, la fantasía e imaginación, superar el egocentrismo, el afrontamiento y el desarrollo equilibrado de la personalidad del niño.

15. d) Al desarrollo del pensamiento crítico, la sensibilidad hacia la belleza y expresión y el interés por el aprendizaje de la lectura, a adquirir experiencias morales útiles, satisfacer el deseo de aventura y a la preparación para la vida.

TEST N.º 16

El movimiento, el juego infantil y su tratamiento. El juego como actividad espontánea de la niña y el niño. El juego como herramienta educativa. Los juegos de regazo y las carantoñas como estrategias de comunicación y aprendizaje

1. Las explicaciones sobre las causas del juego han sido muchas, pero las más relevantes son todas las siguientes excepto:

a) Forma de superación de conflictos y complejos (Freud)
b) Forma de ensayar, fijar y conservar los nuevos hábitos adquiridos (Piaget, Secadas).
c) Forma de aprendizaje y crecimiento armónico (Decroly, Fröebel, etc.).
d) Forma de descanso para el organismo y el espíritu (Schiller).

2. Las cestas de tesoros serían un juego más propio de una de las siguientes franjas de edad:

a) 0-3 meses.
b) 3-6 meses.
c) 6-12 meses.
d) 12-18 meses.

3. El juego heurístico es propio de:

a) 0-3 meses.
b) 3-6 meses.
c) 6-12 meses.
d) 12-24 meses.

4. La teoría sobre el juego que viene a decir que el juego permite al niño rebajar la energía acumulada que no se ha consumido en las necesidades biológicas básicas, fue formulada por:

a) Herbert Spencer.
b) Lazarus.

c) Karl Groos.
d) Buytendijk.

5. Buytendijk define tres impulsos que expresan el carácter infantil y que pueden observarse en el juego, uno de ellos es:

a) Impulso de libertad: búsqueda de la propia autonomía.
b) Deseo de fusión con el entorno y de parecerse a los demás.
c) Tendencia a la repetición.
d) Todas son correctas.

6. El primer autor que considera el juego como motor del desarrollo es:

a) Piaget.
b) Freud.
c) Lazarus.
d) Karl Groos.

7. Entre las principales características del juego podemos citar:

a) El juego no implica ningún esfuerzo por parte del niño.
b) La realidad es el principal elemento constitutivo del juego.
c) El juego es una experiencia que proporciona libertad.
d) Las respuestas a) y c) son correctas.

8. El juego es una actividad seria porque:

a) El niño pone el mismo empeño, concentración y atención jugando que un adulto trabajando.
b) Solo proporciona diversión cuando el niño juega con un adulto, que sabe cómo entretenerlo.
c) Cuanto más serio sea el juego, mayor es el aprendizaje que favorece.
d) El juego no es una actividad seria, sino divertida.

9. Los juegos de destrucción, que describe Chateau:

a) Se basan en el deseo de autoafirmación del niño.
b) Se caracterizan por el desorden y el arrebato.
c) Es un tipo de juego no reglado.
d) Todas las respuestas son correctas.

10. Entre las ventajas del juego espontáneo podemos citar:

a) Se trata de juegos muy variados.
b) Existe un perfecto ajuste a la edad e intereses del niño.
c) Permite la corrección y eliminación de defectos.
d) Sus efectos son controlados por el profesor.

11. Todos los siguientes son aspectos relacionados con la contribución del juego en el ámbito social excepto:

a) Adquisición de conceptos.
b) Regulación de la conducta y adaptación a las exigencias de las normas.
c) Adquisición de habilidades sociales.
d) Vínculos sociales.

12. Todas las siguientes son funciones del juego en relación con el ámbito afectivo excepto:

a) Función de asimilación de experiencias positivas y negativas, así como la representación de las mismas a través del juego.
b) Función de desarrollo de la moral autónoma, a partir de la relativización de valores.
c) Función de proyección y regulación de emociones y sentimientos internos: alegría, agresividad, frustración…
d) Función de la asunción de roles socio-emocionales e identificación de dichos papeles.

13. El juego promueve la creación de zonas de desarrollo potencial que, como sabemos, es la zona por la que puede moverse el niño para construir aprendizajes significativos. Este caso es un ejemplo de cómo el juego favorece:

a) El desarrollo cognitivo.
b) El desarrollo social.
c) El desarrollo motor.
d) El desarrollo afectivo.

14. El juego favorece el desarrollo psicomotor, porque:

a) Estimula la creatividad.
b) Favorece la relación con los demás.
c) Puede descubrir sensaciones nuevas que de otro modo el niño no tendría ocasión de experimentar.
d) Estimula la agresividad.

15. ¿A cuál de los siguientes principios del juego corresponde esta descripción? *"Expresa el significado y la influencia del factor tiempo en la actividad lúdica".*

a) Participación.
b) Dinamismo.
c) Competencia.
d) Desempeño de roles.

Solución al test n.º 16

1. a) Forma de superación de conflictos y complejos (Freud).

2. c) 6-12 meses.

3. d) 12-24 meses.

4. a) Herbert Spencer.

5. d) Todas son correctas.

6. d) Karl Groos.

7. c) El juego es una experiencia que proporciona libertad.

8. a) El niño pone el mismo empeño, concentración y atención jugando que un adulto trabajando.

9. d) Todas las respuestas son correctas.

10. b) Existe un perfecto ajuste a la edad e intereses del niño.

11. a) Adquisición de conceptos.

12. b) Función de desarrollo de la moral autónoma, a partir de la relativización de valores.

13. a) El desarrollo cognitivo.

14. c) Puede descubrir sensaciones nuevas que de otro modo el niño no tendría ocasión de experimentar.

15. b) Dinamismo.

TEST N.º 17

Educación sexual. Descubrimiento e identificación del sexo. Desarrollo psicosexual. Construcción de la identidad de género. Estrategias educativas para garantizar el reconocimiento y el acompañamiento de la diversidad

1. La identidad sexual está determinada por factores de tipo:

a) Social.
b) Biológico.
c) Psicológico.
d) Todos los anteriores.

2. El sexo femenino está determinado por la presencia de los cromosomas:

a) XX.
b) YY.
c) XY.
d) YX.

3. El desarrollo de los caracteres sexuales masculinos durante el periodo embrionario comienza en el segundo mes de embarazo, gracias a la producción de:

a) Espermatozoides.
b) Óvulos.
c) Testosterona.
d) Estrógenos.

4. Los caracteres sexuales secundarios:

a) Son un signo fisiológico de madurez sexual.
b) Incluyen los órganos sexuales.
c) Se manifiestan en el momento del nacimiento.
d) Incluyen los ovarios y las vesículas seminales en la mujer y el hombre respectivamente.

5. La principal función de las hormonas sexuales es:

a) La determinación de los caracteres sexuales en el periodo embrionario.
b) La manifestación de los caracteres sexuales secundarios en la pubertad.
c) Se relacionan con el funcionamiento y el deseo sexual.
d) Todas las respuestas son correctas.

6. El sentimiento de pertenencia a uno u otro sexo se denomina:

a) Orientación sexual.
b) Identidad sexual.
c) Preferencia sexual.
d) Genitalidad.

7. Los niños reconocen su propio sexo basándose en estereotipos externos a la edad de:

a) 1 año.
b) 3 años.
c) 6 años.
d) 10 años.

8. La identidad sexual se consolida:

a) Durante la etapa de la infancia.
b) En la adolescencia.
c) En la vida adulta.
d) En la vejez.

9. La sociedad espera unos determinados comportamientos de los niños y los hombres y otro diferente de las niñas y las mujeres. Esto se conoce como:

a) Identidad sexual.
b) Expectativas sociales en cuanto al sexo.
c) Violencia de género.
d) Heterosexualidad.

10. La identidad de género:

a) Está determinada genéticamente.
b) Está determinada hormonalmente.
c) Es un producto social.
d) No puede modificarse mediante la educación.

11. La principal función de la sexualidad humana es:

a) Función reproductiva.
b) Función erótica.

c) Función comunicativa.
d) Todas las opciones son correctas.

12. La sexualidad infantil se caracteriza por:

a) Basarse en la exploración y observación del propio cuerpo.
b) La existencia de un objeto sexual.
c) Estar centrada en el coito.
d) a y b son correctas.

13. Los mecanismos de la respuesta sexual:

a) Están presentes en el momento del nacimiento.
b) Aparecen durante el primer año de vida.
c) Aparecen en la pubertad.
d) Aparecen en la edad adulta.

14. Si encontramos a un bebé de 12 meses jugando con sus propios genitales:

a) No debemos alarmarnos, pero es necesario impedírselo, poniéndole el pañal.
b) No debemos alarmarnos, es un momento evolutivo normal, fruto de la curiosidad por su propio cuerpo.
c) Debemos poner al niño en manos de profesionales que sepan cómo atajar tal conducta.
d) a y c son correctas.

15. Las primeras manifestaciones de pudor (no se dejan ver desnudos en presencia de extraños) suelen aparecer:

a) A los 2 años.
b) Entre los 4 y 5 años.
c) Entre los 6 o 7 años.
d) En la pubertad.

Solución al test n.º 17

1. d) Todos los anteriores.

2. a) XX.

3. c) Testosterona.

4. a) Son un signo fisiológico de madurez sexual.

5. d) Todas las respuestas son correctas.

6. b) Identidad sexual.

7. b) 3 años.

8. b) En la adolescencia.

9. b) Expectativas sociales en cuanto al sexo.

10. c) Es un producto social.

11. d) Todas las opciones son correctas.

12. a) Basarse en la exploración y observación del propio cuerpo.

13. a) Están presentes en el momento del nacimiento.

14. b) No debemos alarmarnos, es un momento evolutivo normal, fruto de la curiosidad por su propio cuerpo.

15. b) Entre los 4 y 5 años.

TEST N.º 18

Multiculturalidad e inclusión en el primer ciclo de Educación Infantil. Diversidad y necesidades educativas especiales en Educación Infantil. Colaboración del centro con los servicios externos locales en la prevención y la intervención con niñas y niños

1. ¿Quién manifestó que "la educación multicultural es la educación centrada en la diferencia y pluralidad cultural más que una educación para los culturalmente diferentes"?

a) Jordán.
b) Morales.
c) Zamagni.
d) Scott.

2. ¿Quién dijo que "la educación intercultural tiene como objetivos proporcionar al alumnado las competencias sociales necesarias para sus relaciones con los demás"?

a) Jordán.
b) Morales.
c) Zamagni.
d) Scott.

3. ¿En qué modelo de la educación multicultural los alumnos de minorías étnicas deben ser conducidos a liberarse de su identidad étnica?

a) Modelo segregacionista.
b) Modelo compensatorio.
c) Modelo reaccionista.
d) Modelo asimilacionista.

4. ¿En qué modelo se reagrupa a los alumnos y alumnas según su cociente intelectual o nivel y se ofrecen programas distintos que conducen a carreras de mayor a menor prestigio?

a) Modelo segregacionista.
b) Modelo compensatorio.

c) Modelo reaccionista.
d) Modelo asimilacionista.

5. ¿En cuál modelo se intenta recuperar el déficit sociocultural de los alumnos y alumnas con la ayuda de programas compensatorios?

a) Modelo segregacionista.
b) Modelo compensatorio.
c) Modelo reaccionista.
d) Modelo asimilacionista.

6. ¿Con cuántos modelos cuenta el enfoque hacia el reconocimiento de la pluralidad de culturas?

a) Uno.
b) Dos.
c) Tres.
d) Cuatro.

7. Según Muñoz, ¿cuáles son los principios pedagógicos de la educación intercultural?

a) Igualdad, respeto, tolerancia, pluralismo, cooperación social y corresponsabilidad social.
b) Igualdad, respeto, tolerancia, pluralismo, colaboración social y corresponsabilidad social.
c) Igualdad, respeto, tolerancia, pluralismo y corresponsabilidad social.
d) Igualdad, respeto, tolerancia, pluralismo, cooperación social y corrupción social.

8. Dentro de la Educación Multicultural, "desnaturalizar la situación de exclusión sistemática que viven algunas personas y grupos en nuestra sociedad", es un/a...

a) Contenido.
b) Actitud.
c) Objetivo referente al alumnado.
d) Objetivo referente a la escuela.

9. Las medidas de atención a la diversidad se dirigen a:

a) Los alumnos con necesidades educativas especiales.
b) Los alumnos con riesgo de abandono del sistema educativo o exclusión social.
c) Los alumnos con altas capacidades.
d) Todas son correctas.

10. Los cambios más significativos que deben realizarse para una educación que atienda a la diversidad serán todos los siguientes excepto:

a) Pasar de una práctica centrada en el proceso a una que valora el producto de aprendizaje.
b) Evitar que la práctica educativa se centre en las disciplinas.
c) Incluir prácticas vinculadas al mundo social y laboral.
d) Incluir nuevas y variadas modalidades de aprendizaje y agrupamiento.

11. ¿Cuál de los siguientes no es un factor de diversidad personal?

a) Estilos cognitivos.
b) Capacidad.
c) Diferencias biológicas.
d) Todas lo son.

12. Entre los principios metodológicos generales de atención a la diversidad cabe citar todos los siguientes excepto:

a) Flexibilidad.
b) Interdisciplinariedad.
c) Aprendizaje activo.
d) Autonomía en el aprendizaje.

13. Entre las medidas organizativas en el centro que pueden adoptarse para la atención a la diversidad y en base al principio de inclusión pueden citarse todas las siguientes, excepto:

a) Compromiso de la Administración Educativa en la dotación de recursos y presupuestos.
b) Establecer los criterios para la organización y la selección de los materiales curriculares y otros recursos didácticos necesarios para la atención a la diversidad.
c) Definición de los criterios para la asignación de los espacios y para la distribución de los tiempos en la organización de las medidas de atención a la diversidad.
d) Establecer los mecanismos de coordinación de responsabilidades educativas.

14. La siguiente definición: "cada una de las capacidades de las que se compone la inteligencia humana"; se corresponde con el término:

a) Actitud.
b) Habilidad.
c) Nivel de competencia curricular.
d) Aptitud.

15. La aptitud para el razonamiento abstracto:

a) Es la capacidad para extraer conclusiones mediante la inducción y la deducción.
b) Se adquiere antes de finalizar la educación preescolar.
c) Es la capacidad para realizar actividades relacionadas con las artes plásticas.
d) Es la capacidad para percibir las cosas con rapidez y precisión.

Solución al test n.º 18

1. a) Jordán.

2. b) Morales.

3. d) Modelo asimilacionista.

4. a) Modelo segregacionista.

5. b) Modelo compensatorio.

6. d) Cuatro.

7. a) Igualdad, respeto, tolerancia, pluralismo, cooperación social y corresponsabilidad social.

8. c) Objetivo referente al alumnado.

9. d) Todas son correctas.

10. a) Pasar de una práctica centrada en el proceso a una que valora el producto de aprendizaje.

11. d) Todas lo son.

12. b) Interdisciplinariedad.

13. a) Compromiso de la Administración Educativa en la dotación de recursos y presupuestos.

14. d) Aptitud.

15. a) Es la capacidad para extraer conclusiones mediante la inducción y la deducción.

TEST N.º 19

Educación para la salud. Las necesidades de la infancia relativas al bienestar físico y emocional. Afecciones de la salud física y emocional infantil más frecuentes. Prevención y tratamiento de los accidentes en el centro

1. Una de las características que define lo que es una escuela promotora de salud, según Young y Williams es:

a) Considera todos los aspectos de la vida del Centro educativo y sus relaciones con la comunidad.
b) Se centra en la participación activa de los alumnos, con una serie de métodos variados para desarrollar destrezas.
c) Considera que el desarrollo de la autoestima y de la autonomía personal son fundamentales para la promoción de una buena salud.
d) Todas son correctas.

2. La parotiditis se caracteriza por:

a) Ser una enfermedad no contagiosa.
b) Ser una enfermedad bacteriana.
c) La tumefacción dolorosa de las glándulas salivares en especial la parótida.
d) Todas son correctas.

3. Señala la respuesta correcta sobre la conjuntivitis aguda:

a) Sus síntomas más habituales son lagrimeo, irritación y enrojecimiento de la conjuntiva de uno o de ambos ojos.
b) El tratamiento más habitual es el lavado de ambos ojos con manzanilla. Esto se hará, aunque solo esté afectado un ojo, para así, prevenir el contagio de uno a otro.
c) El contacto con las secreciones de las personas enfermas, no transmite la enfermedad.
d) Todas son correctas.

4. ¿Cuál de las siguientes enfermedades no está producida por parásitos?

a) Pediculosis.
b) Muget.

c) Áscaris.
d) Sarna.

5. ¿En qué consiste la coprofagia?

a) En la absorción de sustancias no nutritivas como jabón, tiza, carbón, tierra, etc.
b) En la ingestión de material fecal.
c) En el arrancamiento de cabellos (de la cabeza, cejas, pestañas) y su posterior ingestión.
d) En la regurgitación repetida de alimentos con pérdida de peso.

6. La apendicitis se caracteriza por:

a) La fiebre es un síntoma constante.
b) Cuanto más pequeños son los niños, más fácil de diagnosticar resulta.
c) Se caracteriza por un dolor abdominal localizado en la parte inferior, especialmente del lado izquierdo.
d) Se presentan náuseas y los vómitos posteriores al inicio del dolor.

7. Ante las convulsiones febriles debemos actuar:

a) Situando al niño boca abajo con la cabeza vuelta hacia un lado para evitar que el niño aspire en caso de vómito.
b) Sumergiendo al niño en agua fría para bajarle la temperatura.
c) Colocando al niño sobre una superficie blanda e impedir sus movimientos convulsivos sujetándolo fuertemente con ambas manos o entre dos personas si fuese necesario.
d) Todas son correctas.

8. Las manchas de Koplik son características de:

a) Sarampión.
b) Rubéola.
c) Polio.
d) Difteria.

9. En la edad escolar el tipo de accidente predominante son:

a) Las intoxicaciones.
b) Las caídas.
c) Lesiones corporales.
d) Ahogamientos.

10. ¿Qué intervalo de edad de los que se citan es el que más frecuentemente requiere de hospitalización tras sufrir un accidente?

a) 1 – 3 años.
b) 3 – 6 años.
c) 6 – 12 años.
d) 12 – 18 años.

11. Hasta los tres años de edad el lugar que potencialmente presenta un mayor riesgo de accidente es:

a) La cocina y el cuarto de baño.
b) La habitación del bebé.
c) El comedor.
d) El aula de la escuela infantil.

12. ¿A qué edad se debe comenzar con la medida preventiva "enseñarle a cruzar las calles"?

a) Primer ciclo de Educación Infantil.
b) Segundo ciclo de Educación Infantil.
c) Edad escolar.
d) Adolescencia.

13. ¿Cuál es la segunda causa de muerte en los niños de edades comprendidas entre 1 - 3 años?

a) Intoxicaciones.
b) Quemaduras.
c) Ahogamiento.
d) Lesiones corporales.

14. ¿Qué tipo de accidente predomina como causa de muerte accidental en toda la infancia?

a) Automovilísticos.
b) Intoxicaciones.
c) Caídas.
d) Ahogamiento.

15. Ante una emergencia sanitaria, el orden en que se deben valorar las funciones vitales es:

a) Primero la consciencia, luego la respiración y después la circulación.
b) Primero la respiración, luego la circulación y finalmente la consciencia.
c) Primero la circulación, luego la conciencia y después la respiración.
d) Primero la consciencia, luego la circulación y finalmente la respiración.

Solución al test n.º 19

1. d) Todas son correctas.

2. c) La tumefacción dolorosa de las glándulas salivares en especial la parótida.

3. a) Sus síntomas más habituales son lagrimeo, irritación y enrojecimiento de la conjuntiva de uno o de ambos ojos.

4. b) Muget.

5. b) En la ingestión de material fecal.

6. d) Se presentan náuseas y los vómitos posteriores al inicio del dolor.

7. a) Situando al niño boca abajo con la cabeza vuelta hacia un lado para evitar que el niño aspire en caso de vómito.

8. a) Sarampión.

9. a) Las intoxicaciones.

10. a) 1 – 3 años.

11. a) La cocina y el cuarto de baño.

12. b) Segundo ciclo de Educación Infantil.

13. c) Ahogamiento.

14. a) Automovilísticos.

15. a) Primero la consciencia, luego la respiración y después la circulación.

TEST N.º 20

Alimentación, nutrición y dietética. Actitudes fundamentales. Tratamiento educativo de los momentos de alimentación desde una perspectiva respetuosa de los niños y las niñas

1. La alimentación es un proceso:

a) Voluntario.
b) Involuntario.
c) En el ser humano tiene una dimensión cultural y social.
d) Son ciertas las respuestas a) y c).

2. La dietética es:

a) La rama de la sociología que estudia los regímenes alimentarios.
b) La rama de la medicina que estudia los regímenes sociales.
c) La rama de la medicina que estudia los regímenes alimentarios.
d) La rama de la estética que estudia los regímenes alimentarios.

3. La dieta o ración alimenticia es:

a) La cantidad de alimentos que consume un individuo en veinticuatro horas.
b) La cantidad de alimentos que consume un individuo en una semana.
c) La cantidad de alimentos que consume un individuo en una comida.
d) La cantidad de alimentos que consume un individuo cuando está a régimen.

4. La nutrición es:

a) Un proceso simple.
b) Un proceso que sólo engloba la ingestión de alimentos.
c) Un proceso complejo que engloba a los alimentos y nutrientes en general, y que además incluye la digestión, absorción, transporte, utilización y eliminación de las sustancias que forman parte de los alimentos con el objetivo de obtener energía, construir y reparar las estructuras orgánicas y regular los procesos metabólicos.
d) Un proceso complejo que sólo engloba a los alimentos y nutrientes en general, a su acción e interacción con la salud y la enfermedad.

5. Los glúcidos o hidratos de carbono:

a) No proporcionan energía.
b) Se encuentran sobre todo en alimentos como la mantequilla, el aceite o los frutos secos.
c) Son de origen animal en su mayoría.
d) Proporcionan la mayor parte de energía que necesita el organismo.

6. Los lípidos suponen aproximadamente:

a) El 50% del valor energético global.
b) El 30% del valor energético global.
c) El 60% del valor energético global.
d) El 10% del valor energético global.

7. Las vitaminas:

a) Son sustancias inorgánicas.
b) Son sustancias prescindibles para el organismo.
c) Son una clase de lípidos.
d) Son sustancias orgánicas indispensables para el organismo.

8. Las proteínas:

a) Sólo tienen valor nutritivo.
b) Sólo tienen valor calórico.
c) No tienen valor calórico ni nutritivo.
d) Tienen valor calórico y nutritivo.

9. La leche materna es el mejor alimento para lactantes sanos porque:

a) Aporta los nutrientes necesarios para su crecimiento y desarrollo.
b) Protege frente a infecciones y promueve el neurodesarrollo.
c) Contribuye a mitigar el desarrollo del síndrome metabólico en la edad adulta, especialmente en la reducción de la obesidad y de la diabetes tipo 2.
d) Todas son correctas.

10. Para cumplir con la directiva europea, en los preparados para lactantes y preparados de continuación la proporción de principios inmediatos debe imitar a la leche materna con:

a) Un 20-25% del aporte calórico en forma de grasa, un 10-15% de hidratos de carbono y el 20% las proteínas, así como el aporte energético (50-55 kcal/100 ml).
b) Un 50-55% del aporte calórico en forma de grasa, un 35-50% de hidratos de carbono y el 5% las proteínas, así como el aporte energético (67-70 kcal/100 ml).

c) Un 10-15% del aporte calórico en forma de grasa, un 20-25% de hidratos de carbono y el 30 % las proteínas, así como el aporte energético (40-45 kcal/100 ml).

d) Un 40-45 % del aporte calórico en forma de grasa, un 20-25% de hidra-tos de carbono y el 40 % las proteínas, así como el aporte energético (37-40 kcal/100 ml).

11. La introducción precoz de la alimentación complementaria antes de los 4 meses puede dar lugar a:

a) Ingesta inadecuada de energía (por exceso o por defecto).
b) Aumento del riesgo de alergias.
c) Peor aceptación posterior de nuevas texturas y alteración de las habilidades motoras orales.
d) Todas son correctas.

12. ¿A qué edad las habilidades motoras del bebé permiten la masticación con movimientos rotatorios y estabilidad de la mandíbula?

a) 0-6 meses.
b) 4-5 meses.
c) 6-12 meses.
d) 12-24 meses.

13. ¿A qué edad las habilidades motoras del bebé permiten los movimientos laterales de la lengua y de la comida hacia los dientes y se desarrollan habilidades motoras finas que facilitan la autoalimentación?

a) 0-6 meses.
b) 4-5 meses.
c) 6-12 meses.
d) 12-24 meses.

14. Una de las recomendaciones que hace la Asociación Española de Pediatría a la hora de introducir la alimentación complementaria es:

a) Las tomas de leche materna o de fórmula infantil serán una parte fundamental de la dieta.
b) La leche de vaca no modificada no debe darse antes del año.
c) No añadir sal ni azúcar a las comidas.
d) Todas son correctas.

15. ¿Cuántas veces a la semana debemos incluir en la dieta del niño de 1 a 3 años las carnes blancas y magras?

a) 1-2 veces a la semana.
b) 3-4 días a la semana.

c) Diariamente.
d) No deben tomar carnes blancas y magras. Se recomienda la carne de caza.

Solución al test n.º 20

1. d) Son ciertas las respuestas a) y c).

2. c) La rama de la medicina que estudia los regímenes alimentarios.

3. a) La cantidad de alimentos que consume un individuo en veinticuatro horas.

4. c) Un proceso complejo que engloba a los alimentos y nutrientes en general, y que además incluye la digestión, absorción, transporte, utilización y eliminación de las sustancias que forman parte de los alimentos con el objetivo de obtener energía, construir y reparar las estructuras orgánicas y regular los procesos metabólicos.

5. d) Proporcionan la mayor parte de energía que necesita el organismo.

6. b) El 30% del valor energético global.

7. d) Son sustancias orgánicas indispensables para el organismo.

8. d) Tienen valor calórico y nutritivo.

9. d) Todas son correctas.

10. b) Un 50-55% del aporte calórico en forma de grasa, un 35-50% de hidratos de carbono y el 5% las proteínas, así como el aporte energético (67-70 kcal/100 ml).

11. a) Ingesta inadecuada de energía (por exceso o por defecto).

12. d) 12-24 meses.

13. c) 6-12 meses.

14. d) Todas son correctas.

15. b) 3-4 días a la semana.

TEST N.º 21

Educación para la autonomía. La atención a las necesidades básicas de alimentación e higiene y el inicio de la autonomía personal. El momento del cambio de pañales, el control de esfínteres, la limpieza y el vestido. Principios de intervención educativa en el aula de primer ciclo de Educación Infantil

1. Uno de los principios básicos sobre los que se asienta la etapa de educación infantil es:

a) La autonomía.
b) El desarrollo ético.
c) La promoción de habilidades académicas.
d) La alimentación sana.

2. El primer logro importante en el proceso de autonomía infantil es el reconocimiento de sí mismo como ser independiente de los demás. Esto ocurre hacia:

a) Los tres meses de edad.
b) Los seis meses de edad.
c) El final del primer año.
d) El final del segundo año.

3. ¿En qué momento comienzan los niños a utilizar el pronombre yo, el posesivo mío y su propio nombre?

a) Hacia el final del primer año.
b) Hacia el final del segundo año.
c) Hacia el final del tercer año.
d) Hacia el final del cuarto año.

4. ¿Cómo podemos facilitar el desarrollo de la tolerancia a la frustración, el autocontrol y la autoestima?

a) Hablando con el niño sobre sus errores o lo que no puede hacer.
b) Permitiéndole hacer todo lo que quiera.

c) Evitando hablar de sus errores y quitándole importancia a los mismos.
d) Haciendo por él todas las actividades en las que lo veamos dudar.

5. Señala la afirmación correcta:

a) La identidad sexual y la identidad de género se adquieren de forma paralela.
b) La identidad sexual se adquiere antes que la identidad de género.
c) La identidad de género se adquiere antes que la identidad sexual.
d) La identidad sexual se adquiere en la adolescencia.

6. Según Piaget, la moralidad del niño en los primeros años es:

a) Equitativa.
b) Heterónoma.
c) Homónoma.
d) Abstracta.

7. ¿Qué autor estudia el desarrollo moral planteando dilemas morales?

a) Piaget.
b) Vygotsky.
c) Freud.
d) Kohlberg.

8. Según los estudios de Maccoby, los padres de niños con alta autoestima:

a) Son padres cariñosos, que aceptan a su hijo por completo, pero demuestran poco su afecto.

b) Son padres que no establecen reglas. Actúan con gran flexibilidad.

c) Son padres que utilizan tipos de disciplina coercitivos. Utilizan menos la retirada de privilegios que el castigo corporal.

d) Suelen ser padres democráticos, en el sentido de que estimulan al niño a que exprese sus opiniones, que con frecuencia son aceptadas y tenidas en cuenta.

9. Una conducta que se realiza de forma continua sin que exista un control externo (premios o castigos) se denomina:

a) Habilidad.
b) Rutina.
c) Hábito.
d) Actitud.

10. Las capacidades físicas, cognitivas o motrices que la persona necesita para realizar una conducta con éxito se denominan:

a) Habilidades.
b) Rutinas.

c) Hábitos.
d) Actitudes.

11. La principal forma de adquisición de los hábitos es:

a) La imitación.
b) El desarrollo madurativo.
c) La descripción verbal de los pasos a seguir.
d) El refuerza combinado con el castigo cuando sea necesario.

12. Como consejo metodológico a la hora de desarrollar hábitos en el alumno debemos tener en cuenta:

a) Partir de la capacidad y habilidades que tiene el niño.
b) El modelado será más efectivo cuanto menor sea la conexión afectiva entre el niño y el adulto.
c) El adulto debe mostrarse autoritario para un mejor aprendizaje de hábitos.
d) Todas son correctas.

13. Entre las reglas básicas para la formación de hábitos podría decirse que no figura:

a) Flexibilidad y permisividad.
b) Planteamiento de un programa previo.
c) Deleite.
d) Modelos.

14. ¿Cuál de las siguientes no es un agente educativo que interviene en la adquisición de hábitos?

a) Familia.
b) Escuela.
c) Comunidad.
d) Todas lo son.

15. Todas las siguientes áreas pertenecen al ámbito de la autonomía excepto:

a) Autocuidado.
b) Seguridad.
c) Habilidades sociales.
d) Comunicación.

Solución al test n.º 21

1. a) La autonomía.

2. c) El final del primer año.

3. b) Hacia el final del segundo año.

4. a) Hablando con el niño sobre sus errores o lo que no puede hacer.

5. a) La identidad sexual y la identidad de género se adquieren de forma paralela.

6. b) Heterónoma.

7. d) Kohlberg.

8. d) Suelen ser padres democráticos, en el sentido de que estimulan al niño a que exprese sus opiniones, que con frecuencia son aceptadas y tenidas en cuenta.

9. c) Hábito.

10. a) Habilidades.

11. a) La imitación.

12. a) Partir de la capacidad y habilidades que tiene el niño.

13. a) Flexibilidad y permisividad.

14. c) Comunidad.

15. b) Seguridad.

TEST N.º 22

La figura del personal técnico de gestión en Educación Infantil en el primer ciclo de Educación Infantil. Rol y responsabilidades. Intervención del personal técnico de gestión en Educación Infantil en las aulas de primer ciclo de Educación Infantil

1. La competencia general del título de Técnico Superior en Educación Infantil consiste en:

a) Diseñar, implementar y evaluar proyectos y programas educativos de atención a la infancia en el primer y segundo ciclo de Educación Infantil en el ámbito formal, de acuerdo con la propuesta pedagógica elaborada por el director de la escuela infantil.

b) Diseñar, implementar y evaluar proyectos y programas educativos de atención a la infancia en el primer ciclo de Educación Infantil en el ámbito formal, de acuerdo con la propuesta pedagógica elaborada por un Maestro con la especialización en Educación Infantil o título de grado equivalente.

c) Diseñar, implementar y evaluar proyectos y programas educativos de atención a la infancia en el segundo ciclo de Educación Infantil en el ámbito formal, de acuerdo con la propuesta pedagógica elaborada por el equipo de educadores infantiles.

d) Diseñar, implementar y evaluar proyectos y programas educativos de atención a la infancia en el primer y segundo ciclo de Educación Infantil en el ámbito formal, de acuerdo con la propuesta pedagógica elaborada por el equipo de educadores infantiles.

2. Una de las competencias profesionales asociadas al título de Técnico Superior en Educación Infantil es:

a) Programar la intervención educativa y de atención social a la infancia a partir de las directrices del programa de la institución y de las características individuales, del grupo y del contexto.

b) Diseñar y aplicar estrategias de actuación con las familias, en el marco de las finalidades y procedimientos de la institución, para mejorar el proceso de intervención.

c) Actuar ante contingencias relativas a las personas, recursos o al medio, transmitiendo seguridad y confianza y aplicando, en su caso, los protocolos de actuación establecidos.

d) Todas son correctas.

3. Señala lo incorrecto sobre la función programadora del educador de Educación Infantil:

a) La programación es una tarea previa a la realización de un trabajo que pretende incrementar la eficacia del mismo.
b) Las programaciones hacen del trabajo escolar una auténtica investigación.
c) La función programadora pone en juego la iniciativa y creatividad del docente.
d) El único inconveniente de la programación es el riesgo de caer en la rutina y la monotonía de la repetición.

4. Respecto a la función evaluadora en el primer ciclo de Educación Infantil no es cierto que:

a) En la actualidad se hace hincapié en los aspectos cuantitativos.
b) La evaluación se extenderá a verificar la consecución de los objetivos propuestos.
c) La evaluación debe servir como medio de eliminación de posibles errores y punto de partida de nuevos planteamientos.
d) Todas son correctas.

5. El/la Educador/a Infantil debe ser capaz, entre otras cosas, de:

a) Desarrollar proyectos de intervención con niños de 0 a 3 años, atendiendo sus necesidades básicas, favoreciendo su desarrollo integral y organizando los recursos didácticos propios de su competencia profesional.
b) Evaluar programas, proyectos y actividades de Educación Infantil y Atención a la Infancia utilizando los recursos técnicos necesarios, procesando la información obtenida para optimizar el proceso de enseñanza-aprendizaje e intervenir en los procesos transaccionales del niño con su entorno inmediato mediante los recursos de orientación adecuados.
c) Las opciones a) y b) son correctas.
d) Ninguna de las anteriores, ya que son funciones del maestro con la especialidad de educación infantil.

6. Los distintos profesionales que trabajan en educación infantil de 0 a 3 años:

a) No deben reflexionar sobre su intervención educativa, ni reformular su actividad, limitándose en todo momento a actuar como indiquen sus superiores.
b) Deben poseer la formación necesaria para coparticipar con familias, equipos y otros profesionales en el desarrollo global de los niños de cero a tres años.
c) Bajo ningún concepto coparticiparán con la familia. Esta es una tarea de los psicopedagogos. Los padres entorpecerían el proceso educativo en el medio escolar.
d) Las opciones a) y b) son correctas.

7. Uno de los principios de intervención del educador siguiendo el modelo de Luengo (1996) es favorecer y fomentar la protección y la salud de niños y niñas y tener en cuenta el medio y los espacios, esto significa que:

a) Se deben organizar entornos seguros, limpios y saludables.
b) Potenciar hábitos de salud, cuidar la alimentación y fomentar la actividad física, dejando la educación afectiva y sexual para etapas educativas posteriores.

c) Estructurar ambientes cerrados donde sólo tengan cabida las actividades de pequeño grupo, para lograr que se centren en la tarea.
d) Todas son correctas.

8. Otro de estos principios dice que se debe fomentar la diversión, el juego, lo placentero, potenciar la actividad lúdica como agente del proceso evolutivo de niños y niñas, esto implica:

a) Priorizar la actividad lúdica con adultos, ya que el juego entre iguales no produce aprendizajes.
b) Tener en cuenta la actividad lúdica del niño como marco básico para la construcción del conocimiento.
c) Las opciones a) y b) son correctas.
d) Ninguna de las anteriores.

9. El educador infantil debe favorecer la integración de las diferencias y la atención a la diversidad en todas sus dimensiones, lo que implica:

a) Diseñar y desarrollar proyectos con una organización rígida donde los alumnos con menos capacidad tengan las mismas exigencias y objetivos que el resto de alumnos.
b) Organizar la práctica educativa en torno a un curriculum cerrado.
c) Desarrollar prácticas educativas basadas en el principio de atención individualizada.
d) Todas son correctas.

10. El conjunto de principios y normas morales que regulan una actividad profesional se conoce con el nombre de:

a) Competencia profesional.
b) Ética profesional.
c) Perfil profesional.
d) Currículum profesional.

11. Entre los valores centrales del conjunto de principios éticos, podemos citar:

a) Para comprender mejor al niño debemos considerarlo al margen de su entorno familiar, social y cultural. Así apreciamos mejor sus características personales.
b) Apreciar la infancia como una etapa única y valiosa en el ciclo de la vida del ser humano.
c) No tener en cuenta a la familia del niño, pues en muchas ocasiones puede dificultar su óptimo desarrollo.
d) Todas son correctas.

12. Los principios y normas morales que regulan la actividad del educador infantil:

a) Se refieren a la actuación con el niño.
b) Se refieren a las actuaciones con el niño y las familias.

c) Se refieren a las actuaciones con el niño, las familias y con otros profesionales implicados.

d) Se refieren a las actuaciones con el niño, las familias, con otros profesionales implicados y con la comunidad y la sociedad.

13. Las responsabilidades éticas con los niños se reflejan, entre otros, en los siguientes ideales:

a) Basar nuestra práctica en el conocimiento y la investigación actuales en el ámbito de la educación de niños pequeños, el desarrollo infantil y disciplinas relacionadas, así como en el conocimiento particular de cada niño.

b) Apreciar la vulnerabilidad de los niños y su dependencia de los adultos.

c) Apoyar el derecho de cada niño de jugar y aprender en un ambiente inclusivo donde se satisfagan las necesidades tanto de niños con discapacidades, como de niños sin ellas.

d) Todas son correctas.

14. El principio ético que tiene prioridad sobre todos los demás es el siguiente:

a) Utilizaremos sistemas adecuados de evaluación.

b) Llevaremos a cabo siempre el tipo de educación que desee la familia.

c) No participaremos en prácticas que causen daños emocionales ni físicos, que exploten a los niños ni que sean irrespetuosas, degradantes, peligrosas, ni intimidantes para los niños.

d) Nos esforzaremos por entablar una relación individual con cada niño.

15. Las responsabilidades éticas con las familias se reflejan, entre otros, en los siguientes ideales:

a) Recibir con agrado a todos los familiares, pero sin permitirle participar en las distintas actividades educativas, ya que pueden entorpecer la labor educativa.

b) Reconocer los valores de las familias respecto a la crianza de los hijos, pero deben ser los educadores los que tomen todas las decisiones relacionadas con sus hijos.

c) Escuchar a las familias, reconocer y entender sus puntos fuertes y competencias, y aprender de ellas al apoyarlas en su tarea de criar a sus hijos.

d) Ninguna es correcta.

Solución al test n.º 22

1. b) Diseñar, implementar y evaluar proyectos y programas educativos de atención a la infancia en el primer ciclo de Educación Infantil en el ámbito formal, de acuerdo con la propuesta pedagógica elaborada por un Maestro con la especialización en Educación Infantil o título de grado equivalente.

2. d) Todas son correctas.

3. d) El único inconveniente de la programación es el riesgo de caer en la rutina y la monotonía de la repetición.

4. a) En la actualidad se hace hincapié en los aspectos cuantitativos.

5. c) Las opciones a) y b) son correctas.

6. b) Deben poseer la formación necesaria para coparticipar con familias, equipos y otros profesionales en el desarrollo global de los niños de cero a tres años.

7. a) Se deben organizar entornos seguros, limpios y saludables.

8. b) Tener en cuenta la actividad lúdica del niño como marco básico para la construcción del conocimiento.

9. c) Desarrollar prácticas educativas basadas en el principio de atención individualizada.

10. b) Ética profesional.

11. b) Apreciar la infancia como una etapa única y valiosa en el ciclo de la vida del ser humano.

12. d) Se refieren a las actuaciones con el niño, las familias, con otros profesionales implicados y con la comunidad y la sociedad.

13. d) Todas son correctas.

14. c) No participaremos en prácticas que causen daños emocionales ni físicos, que exploten a los niños ni que sean irrespetuosas, degradantes, peligrosas, ni intimidantes para los niños.

15. c) Escuchar a las familias, reconocer y entender sus puntos fuertes y competencias, y aprender de ellas al apoyarlas en su tarea de criar a sus hijos.

TEST N.º 23

Organización del equipo educativo en el primer ciclo de Educación Infantil. Coordinación para la transición de los niños y las niñas al segundo ciclo de Educación Infantil

1. Acerca del equipo educativo, señala la respuesta incorrecta:

a) El trabajo en equipo supone integrar la diversidad en una programación común que armonice las intenciones generales con las personales.

b) Deberá acordar las líneas generales que sustentarán la organización en su actividad docente.

c) Corresponde a los equipos educativos la concreción del diseño curricular propuesto para la etapa y su adaptación al contexto educativo.

d) Para articular y equilibrar los diferentes niveles de concreción curricular (contexto, aula y alumno) deberá contemplarse una organización dinámica y flexible.

2. La normativa por la que se regulan los requisitos mínimos de centros que impartan el primer ciclo en la Comunidad Valencia es una de las siguientes. ¿Puedes señalarla?

a) Real Decreto 2/2009, de 9 de enero, del Consell, por el que se establecen los requisitos mínimos que deben cumplir los centros que impartan el Primer Ciclo de la Educación Infantil en la Comunitat Valenciana.

b) Decreto 2/2009, de 9 de enero, del Consell, por el que se establecen los requisitos mínimos que deben cumplir los centros que impartan el Primer Ciclo de la Educación Infantil en la Comunitat Valenciana.

c) Orden 2/2009, de 9 de enero, del Consell, por el que se establecen los requisitos mínimos que deben cumplir los centros que impartan el Primer Ciclo de la Educación Infantil en la Comunitat Valenciana.

d) Resolución 2/2009, de 9 de enero, del Consell, por el que se establecen los requisitos mínimos que deben cumplir los centros que impartan el Primer Ciclo de la Educación Infantil en la Comunitat Valenciana.

3. ¿Cuál es el artículo por el que se regula el profesorado en la normativa de los requisitos mínimos de centros que imparten el primer ciclo en la Comunidad Valenciana?

a) Artículo 9. Profesorado.
b) Artículo 10. Profesorado.
c) Artículo 11. Profesorado.
d) Artículo 12. Profesorado.

4. La atención educativa directa al alumnado correrá a cargo de profesionales que dispongan de todas las siguientes titulaciones excepto:

a) Título de Maestro con la especialización en Educación Infantil, o título de Grado equivalente.
b) Técnico especialista en Jardín de Infancia.
c) Técnico superior en Educación Infantil.
d) Los profesionales que hayan obtenido la especialización y la habilitación de acuerdo con la Orden de 11 de enero de 1996, de la Conselleria de Educación y Ciencia.

5. Respecto a los requisitos de dotaciones de personal cualificado no es cierto que:

a) Los centros completos de Educación Infantil de Primer Ciclo deberán contar con personal cualificado, al menos, en número igual al de unidades en funcionamiento, más dos de refuerzo.
b) En centros completos, al menos uno de los trabajadores del centro deberá contar con la titulación de Maestro/a con la especialización de Educación Infantil o título de Grado equivalente.
c) En centros incompletos, de todo el personal cualificado, al menos uno de ellos deberá contar con la titulación de Maestro/a con la especialización de Educación Infantil o el título de Grado equivalente.
d) Los centros incompletos de Educación Infantil de Primer Ciclo deberán contar con personal cualificado, al menos, en número igual al de unidades en funcionamiento.

6. La normativa que regula la organización y el funcionamiento de las escuelas infantiles de primer ciclo de titularidad pública es:

a) Orden 21/2019, de 30 de abril, de la Conselleria de Educación, Investigación, Cultura y Deporte.
b) Orden 2/2019, de 30 de abril, de la Conselleria de Educación, Investigación, Cultura y Deporte.
c) Orden 12/2019, de 30 de abril, de la Conselleria de Educación, Investigación, Cultura y Deporte.
d) Orden 22/2019, de 30 de abril, de la Conselleria de Educación, Investigación, Cultura y Deporte.

7. En la orden que regula la organización y funcionamiento de las escuelas infantiles en el primer ciclo de titularidad pública, ¿cuál de los siguientes enunciados en relación con el equipo educativo no es correcto?

a) Se fomentará la autonomía pedagógica y organizativa de los centros y se favorecerá el trabajo de los equipos educativos.
b) Considerando la singularidad del primer ciclo de Educación Infantil, es conveniente disponer de esta unidad organizativa.
c) El equipo educativo estará formado por todos los profesionales (maestros en Educación Infantil y educadores y educadoras de Educación Infantil) que intervienen en el primer ciclo de Educación Infantil.
d) Todas son correctas.

8. En la orden que regula la organización y funcionamiento de las escuelas infantiles en el primer ciclo de titularidad pública se establecen las funciones del equipo educativo. En este sentido, ¿cuál de las siguientes alternativas no es una de dichas funciones?

a) Analizar los objetivos conseguidos y proponer medidas de mejora.
b) Identificar y eliminar las barreras de acceso, de participación y de aprendizaje.
c) Realizar propuestas de modalidades de atención a la diversidad.
d) Elaborar la documentación del alumnado, que incluirá de manera detallada la evolución de cada niño y cada niña.

9. ¿Cuál es la normativa que regula la organización y funcionamiento de los centros públicos que imparten enseñanzas de Educación Infantil o Primaria en la Comunidad Valenciana?

a) Decreto 253/2019, de 29 de noviembre, del Consell, de regulación de la organización y el funcionamiento de los centros públicos que imparten enseñanzas de Educación Infantil o de Educación Primaria.
b) Decreto 532/2019, de 29 de noviembre, del Consell, de regulación de la organización y el funcionamiento de los centros públicos que imparten enseñanzas de Educación Infantil o de Educación Primaria.
c) Decreto 235/2019, de 29 de noviembre, del Consell, de regulación de la organización y el funcionamiento de los centros públicos que imparten enseñanzas de Educación Infantil o de Educación Primaria.
d) Decreto 523/2019, de 29 de noviembre, del Consell, de regulación de la organización y el funcionamiento de los centros públicos que imparten enseñanzas de Educación Infantil o de Educación Primaria.

10. Los equipos docentes como órgano de coordinación docente aparecen recogidos en:

a) Decreto 2/2009, de 9 de enero, del Consell, por el que se establecen los requisitos mínimos que deben cumplir los centros que impartan el Primer Ciclo de la Educación Infantil en la Comunitat Valenciana.

b) Orden 21/2019, de 30 de abril, de la Conselleria de Educación, Investigación, Cultura y Deporte, por la cual se regula la organización y el funcionamiento de las escuelas infantiles de primer ciclo de titularidad pública.

c) Decreto 253/2019, de 29 de noviembre, del Consell, de regulación de la organización y el funcionamiento de los centros públicos que imparten enseñanzas de Educación Infantil o de Educación Primaria.

d) En todos los anteriores.

11. Señala la respuesta incorrecta en relación con el contenido del artículo 34. Órganos de coordinación docente, del Decreto 253/19 del 29 de noviembre por el que se regula la organización y funcionamiento de los centros públicos que imparten enseñanzas de Educación Infantil o de Educación Primaria:

a) Corresponde a la conselleria competente en materia de educación regular el funcionamiento de los órganos de coordinación docente.

b) Corresponde a la conselleria competente en materia de educación regular el funcionamiento de los órganos de coordinación docente y potenciar los equipos docentes del profesorado que imparte docencia en el mismo curso, así como la colaboración y el trabajo en equipo del profesorado que imparte docencia a un mismo grupo.

c) Los centros dispondrán de un número global de horas no lectivas semanales para que las personas coordinadoras de los equipos docentes y de los equipos de ciclo y otras figuras de coordinación desarrollen sus funciones.

d) La dirección del centro, en el ejercicio de sus competencias, oído el claustro, dispondrá de autonomía para distribuir, entre las personas designadas para realizar estas funciones, el número total de horas que se asignan en el centro para la coordinación docente.

12. Según la normativa vigente en organización de centros, ¿cuál de los siguientes no es un órgano de coordinación docente?

a) Comisión de coordinación pedagógica.
b) Equipos docentes y equipos de ciclo.
c) Tutoría.
d) Claustro.

13. Señala el artículo del Decreto 253/19, de 29 de noviembre, por el que se reglamenta la organización y funcionamiento de los centros públicos que imparten enseñanzas de Educación Infantil o de Educación Primaria, en el que se especifican las funciones de los equipos docentes y equipos de ciclo:

a) Artículo 36.
b) Artículo 37.
c) Artículo 38.
d) Artículo 39.

14. Señala la respuesta incorrecta acerca de los equipos docentes y equipos de ciclo, según lo que establece el Decreto 253/19, de 29 de noviembre, por el que se regula la organización y funcionamiento de los centros públicos que imparten enseñanzas de Educación Infantil o de Educación Primaria:

a) En los centros que impartan el primer ciclo de Educación Infantil habrá un equipo educativo que actuará como órgano de coordinación docente y agrupará a todo el personal que intervenga en este ciclo.
b) En los centros que impartan el segundo ciclo de Educación Infantil, existirá el equipo de ciclo de Educación Infantil que actuará como órgano de coordinación docente.
c) Cada equipo docente o de ciclo será coordinado por un miembro del equipo, designado por la jefatura de estudios del centro, oído el equipo, entre el personal que forme parte, y preferentemente con destino definitivo en el centro.
d) Todas son correctas.

15. ¿Cuál de las siguientes no es una función de los equipos docentes y de los equipos de ciclo?

a) Realizar las adaptaciones curriculares significativas para el alumnado con necesidades educativas especiales, después de su evaluación por el servicio psicopedagógico escolar o gabinete autorizado, que tiene que participar también directamente en su elaboración y redacción, de manera coordinada con la persona que ejerza la tutoría de este alumnado.
b) Colaborar con la secretaria o secretario en la elaboración y la actualización del inventario, así como proponerle la adquisición de material y de equipamiento para el ciclo o equipo docente.
c) Planificar y llevar a cabo las estrategias de detección e intervención y seguimiento con el alumnado que presenta necesidades específicas de apoyo educativo, según las directrices del orientador.
d) Proponer actividades de formación que promuevan la actualización didáctica del profesorado y el trabajo colaborativo entre el profesorado del equipo y el resto del claustro, de acuerdo con el proyecto educativo de centro.

Solución al test n.º 23

1. d) Para articular y equilibrar los diferentes niveles de concreción curricular (contexto, aula y alumno) deberá contemplarse una organización dinámica y flexible.

2. b) Decreto 2/2009, de 9 de enero, del Consell, por el que se establecen los requisitos mínimos que deben cumplir los centros que impartan el Primer Ciclo de la Educación Infantil en la Comunitat Valenciana.

3. c) Artículo 11. Profesorado.

4. d) Los profesionales que hayan obtenido la especialización y la habilitación de acuerdo con la Orden de 11 de enero de 1996, de la Conselleria de Educación y Ciencia.

5. a) Los centros completos de Educación Infantil de Primer Ciclo deberán contar con personal cualificado, al menos, en número igual al de unidades en funcionamiento, más dos de refuerzo.

6. a) Orden 21/2019, de 30 de abril, de la Conselleria de Educación, Investigación, Cultura y Deporte.

7. d) Todas son correctas.

8. c) Realizar propuestas de modalidades de atención a la diversidad.

9. a) Decreto 253/2019, de 29 de noviembre, del Consell, de regulación de la organización y el funcionamiento de los centros públicos que imparten enseñanzas de Educación Infantil o de Educación Primaria.

10. c) Decreto 253/2019, de 29 de noviembre, del Consell, de regulación de la organización y el funcionamiento de los centros públicos que imparten enseñanzas de Educación Infantil o de Educación Primaria.

11. c) Los centros dispondrán de un número global de horas no lectivas semanales para que las personas coordinadoras de los equipos docentes y de los equipos de ciclo y otras figuras de coordinación desarrollen sus funciones.

12. d) Claustro.

13. c) Artículo 38.

14. c) Cada equipo docente o de ciclo será coordinado por un miembro del equipo, designado por la jefatura de estudios del centro, oído el equipo, entre el personal que forme parte, y preferentemente con destino definitivo en el centro.

15. c) Planificar y llevar a cabo las estrategias de detección e intervención y seguimiento con el alumnado que presenta necesidades específicas de apoyo educativo, según las directrices del orientador.

TEST N.º 24

El proyecto educativo de centro. Concepto, funciones, finalidades y elementos que lo integran. Propuesta pedagógica. Unidades de programación. Diseño de actividades educativas y situaciones de aprendizaje

1. El proyecto educativo de un centro:

a) Define la identidad del centro docente.
b) Garantiza el desarrollo coordinado de todas las actividades educativas del centro docente.
c) Recoge las conclusiones de la evaluación interna y, en su caso, de la evaluación externa.
d) Es un instrumento específico de planificación, desarrollo y evaluación de cada área del currículo.

2. No es uno de los elementos especificados en el artículo 16 del Decreto 100/2022, de 29 de julio, del Consell, por el cual se establece la ordenación y el currículo de Educación Infantil que debe incluir el proyecto educativo:

a) La línea pedagógica del centro.
b) Las medidas de atención a la diversidad.
c) Las medidas para la acogida de los niños y de las niñas y de sus familias o tutoras o tutores legales.
d) Las medidas organizativas para la coordinación del proceso de continuidad.

3. Acerca del Proyecto Educativo de Centro y según lo que establece la ORDEN 21/2019, de 30 de abril, de la Conselleria de Educación, Investigación, Cultura y Deporte, por la cual se regula la organización y el funcionamiento de las escuelas infantiles de primer ciclo de titularidad pública, no es cierto que:

a) El proyecto educativo del centro debe definir los rasgos de identidad del centro, los valores, los objetivos y las prioridades de actuación.
b) Incluirá la promoción de la igualdad en la diversidad y la no discriminación de las personas LGTBI.

c) Incorporará la concreción de los currículos establecidos por la Administración educativa, que serán desarrollados en el Plan de Actuación para la Mejora (PAM).

d) Se elabora a partir del análisis previo de las necesidades específicas del alumnado y del contexto escolar, socioeconómico, cultural y sociolingüístico del centro.

4. El seguimiento y evaluación del PEC es competencia del:

a) Consejo Escolar.
b) Equipo Directivo.
c) Director.
d) Claustro.

5. La elaboración del PEC es competencia del:

a) Consejo Escolar.
b) Equipo educativo bajo la supervisión del director.
c) Director.
d) Claustro.

6. Una de las funciones del PEC es:

a) Define la identidad y los valores del centro.
b) Permite coordinar planes y proyectos.
c) Permite adaptar el currículo oficial a las características específicas del centro, del alumnado y del contexto sociocultural.
d) Todas son correctas.

7. Según se regula en la Orden 21/2019, de 30 de abril, de la Conselleria de Educación, Investigación, Cultura y Deporte, por la cual se regula la organización y el funcionamiento de las escuelas infantiles de primer ciclo de titularidad pública el proyecto educativo ha de incluir los criterios básicos concebidos como estrategias de orientación y de organización de los diferentes aspectos que conforman el contenido, de tal forma que se pueda garantizar la integración, la articulación y la continuidad de esfuerzos, de manera ordenada, coherente y sistemática. Así pues, deberá especificar los criterios básicos que tienen que orientar todo lo siguiente excepto:

a) La coordinación con los servicios del municipio y con otras entidades.
b) El reglamento de régimen interior de los centros educativos en un modelo de escuela inclusiva.
c) Los cauces y modos de información con los Servicios Psicopedagógicos Escolares.
d) Las actuaciones para la atención a la diversidad y la inclusión educativa.

8. ¿Cómo se denomina el instrumento que permite al centro definir y concretar su intervención educativa en la etapa a partir del currículo de la Comunidad Valenciana, en base a decisiones adecuadas al contexto, tomadas de forma consensuada por los docentes?

a) Proyecto educativo.
b) Propuesta pedagógica.

c) Unidad de programación.
d) Situación de aprendizaje.

9. ¿Qué órgano tiene que aprobar la concreción curricular según el artículo 17 del Decreto 100/2022, de 29 de julio, del Consell, por el cual se establece la ordenación y el currículo de Educación Infantil?

a) La dirección del centro.
b) El equipo directivo.
c) El claustro.
d) Los tutores.

10. Todas las siguientes consideraciones a tener en cuenta en la propuesta pedagógica son correctas excepto:

a) Debe proponer espacios, tiempos y metodologías activas y participativas, de forma que potencie al máximo la iniciativa del niño y de la niña y su capacidad de descubrir.

b) Debe tomar como punto de referencia general los objetivos y contenidos del Decreto 38/2008, de 28 de marzo, del Consell, por el cual se establecen los contenidos educativos del primer ciclo de Educación Infantil en la Comunitat Valenciana o la normativa que lo sustituya.

c) Debe recoger medidas concretas para potenciar el desarrollo de la personalidad de los niños y de las niñas en un ambiente no discriminatorio en cuanto al sexo, la identidad y expresión de género, las creencias, la etnia, la procedencia, la cultura, la lengua, la situación de pobreza, la diversidad funcional, el tipo de familia y otras circunstancias.

d) Debe servir para que el equipo educativo reflexione sobre la organización de los espacios, con el objetivo de ofrecer al niño o la niña espacios y ambientes tranquilos y seguros, a lo largo de los cuales pueda ver satisfecha su iniciativa, seguir los propios intereses y disfrutar del placer del descubrimiento, la manipulación y el libre movimiento y expresión, lo cual se enriquece con la interacción del otro.

11. El seguimiento y evaluación de la propuesta pedagógica:

a) La realiza el equipo educativo bajo la coordinación y responsabilidad de la persona que ejerce de maestro de Educación Infantil.

b) La realiza el consejo escolar bajo la coordinación y responsabilidad del equipo directivo.

c) La realiza el equipo educativo de la etapa bajo la coordinación y responsabilidad del coordinador de ciclo.

d) La realiza el equipo directivo bajo la coordinación y responsabilidad del director.

12. ¿Cuál de los siguientes no es uno de los elementos de la programación de aula según el artículo 18 del Decreto 100/2022, de 29 de julio?

a) Características del grupo.
b) Competencias específicas.

c) Situaciones de aprendizaje.
d) Medidas de atención a las diferencias individuales.

13. En una Unidad de Programación, el eje vertebrador es el que permite estructurar, en torno a sí, al resto de los elementos: objetivos, contenidos, actividades de E-A y de evaluación. Todos los siguientes suelen serlo excepto:

a) Contenidos del currículum.
b) Valores transversales.
c) Una práctica pedagógica.
d) Destrezas instrumentales.

14. Una correcta formulación de objetivos en la unidad de programación debe incluir:

a) Formulación en conductas evaluables y observables.
b) Realista, contextualizado, alcanzable y claro en su planteamiento.
c) Flexibilidad para adaptarlo a las capacidades y aspectos individuales,
d) Todas son adecuadas.

15. ¿A qué elemento de una unidad de programación corresponde la siguiente definición? "Enunciado que describe la conducta que se espera obtener del alumno al término de un periodo de aprendizaje establecido"

a) Objetivo didáctico.
b) Contenido.
c) Actividad.
d) Indicador de logro.

Solución al test n.º 24

1. a) Define la identidad del centro docente.

2. b) Las medidas de atención a la diversidad.

3. c) Incorporará la concreción de los currículos establecidos por la Administración educativa, que serán desarrollados en el Plan de Actuación para la Mejora (PAM).

4. a) Consejo Escolar.

5. b) Equipo educativo bajo la supervisión del director.

6. d) Todas son correctas.

7. c) Los cauces y modos de información con los Servicios Psicopedagógicos Escolares.

8. b) Propuesta pedagógica.

9. c) El claustro.

10. b) Debe tomar como punto de referencia general los objetivos y contenidos del Decreto 38/2008, de 28 de marzo, del Consell, por el cual se establecen los contenidos educativos del primer ciclo de Educación Infantil en la Comunitat Valenciana o la normativa que lo sustituya.

11. a) La realiza el equipo educativo bajo la coordinación y responsabilidad de la persona que ejerce de maestro de Educación Infantil.

12. b) Competencias específicas.

13. d) Destrezas instrumentales.

14. d) Todas son adecuadas.

15. a) Objetivo didáctico.

TEST N.º 25

La organización del espacio o ambiente. Los diferentes espacios. Organización y selección de materiales educativos y mobiliario

1. Según la Orden 21/2019, de 30 de abril, de la Conselleria de Educación, Investigación, Cultura y Deporte, por la cual se regula la organización y el funcionamiento de las escuelas infantiles de primer ciclo de titularidad pública la organización de los espacios y la distribución de los recursos han de ser flexibles con el fin de:

a) Cubrir y posibilitar las necesidades fisiológicas del niño o la niña.
b) Permitir el trabajo autónomo y facilitar la acción de grupo.
c) Responder a las necesidades de exploración, de experimentación y de juego.
d) Todas son correctas.

2. Proshansky y Woole hablan de dos tipos de influencias ejercidas por el ambiente. Cuando no es el ambiente en sí mismo, sino la percepción o interpretación que los sujetos hacen del ambiente lo que condiciona su conducta y la marcha de sus actividades hablamos de:

a) Influencias directas.
b) Influencias indirectas.
c) Influencias condicionadas.
d) Influencias simbólicas.

3. El educador organiza el espacio de que dispone atendiendo a una serie de criterios básicos. ¿Cuál de los siguientes no es correcto?

a) Un espacio estético, atractivo y tranquilo.
b) Un espacio estático y estable.
c) El espacio potenciará todos los aspectos del desarrollo, ámbito físico, social, afectivo e intelectual.
d) Se contemplará la escuela en su totalidad, con sus espacios exteriores e interiores.

4. Uno de los criterios pedagógicos que deben tenerse en cuenta en la organización de la escuela infantil según Gairín Sallan es:

a) La adaptabilidad, que se refiere a la posibilidad, de que un edificio pueda admitir cambios. Es decir, que se puedan eliminar o sumar elementos en el edificio.
b) Variabilidad. Locales de distintas dimensiones permiten más posibilidades de agrupamiento y utilización del edificio.
c) Comunicabilidad. La comunicación interna debe favorecer los desplazamientos de forma directa y fácil.
d) Todas son correctas.

5. En la organización de espacios el criterio que se refiere a que los distintos espacios tengan variedad de funciones se denomina:

a) Flexibilidad.
b) Variabilidad.
c) Polivalencia.
d) Comunicabilidad.

6. Los criterios básicos que han de regir la adecuada distribución y organización de los espacios serán la satisfacción de las necesidades infantiles. En relación con esto, señala cuál de los siguientes enunciados es erróneo:

a) Necesidad de autonomía: el espacio por tanto, debe prever la posibilidad de desarrollar comportamientos individuales pero también grupales.
b) Necesidades fisiológicas: limpieza, alimentación, sueño, seguridad..., con necesidades primarias, básicas en la vida del niño y a las que el Centro de Educación Infantil ha de dar respuesta.
c) Necesidad de iniciativa: el espacio debe posibilitar la realización de experiencias y actividades con materiales diversos.
d) Necesidades afectivas: el ambiente debe favorecer un contacto individual, rincones cómodos para la charla, el encuentro y la intimidad.

7. Según el Decreto 2/2009, de 9 de enero, del Consell, por el que se establecen los requisitos mínimos que deben cumplir los centros que impartan el Primer Ciclo de la Educación Infantil en la Comunitat Valenciana ¿cuál es la superficie mínima del aula por cada unidad?

a) 20 metros cuadrados útiles.
b) 30 metros cuadrados útiles.
c) 40 metros cuadrados útiles.
d) 50 metros cuadrados útiles.

8. Según el Decreto 2/2009, de 9 de enero debe haber un aseo por cada unidad que escolarice alumnado de dos a tres años. El aseo deberá ser visible y accesible desde la misma aula y ha de constar de:

a) Un lavabo y un inodoro de tamaño adecuado y un cambiador.
b) Dos lavabos y dos inodoros de tamaño adecuado.

c) Dos lavabos y dos inodoros de tamaño adecuado y un cambiador.
d) Un lavabo y tres inodoros de tamaño adecuado.

9. ¿Qué superficie mínima debe tener el patio de juegos de uso exclusivo del centro en el caso de centros de menos de tres unidades, según el Decreto 2/2009, de 9 de enero?

a) 40 metros cuadrados.
b) 50 metros cuadrados.
c) 60 metros cuadrados.
d) 70 metros cuadrados.

10. ¿Cuál de los siguientes espacios comunes es el espacio más idóneo para facilitar la comunicación con las familias?

a) Entrada.
b) Galerías y pasillos.
c) Aulas.
d) Sala de usos múltiples.

11. Según Goldschmied el espacio exterior debe facilitar:

a) Actividad motriz.
b) Juegos de fantasía.
c) Experiencia con la naturaleza.
d) Todas son correctas.

12. De forma general, el espacio exterior del centro de educación infantil debe ser:

a) Suelo exclusivamente de arena, nunca de pavimento.
b) Suelo limpio de materiales de obra.
c) Ausencia de mobiliario exterior para dejar más espacio al movimiento.
d) Todas son correctas.

13. Cuando la delimitación del espacio viene dada por la posición de mobiliarios de gran tamaño como estanterías, alfombras, mesas, paneles, etc. hablamos de:

a) Delimitación débil.
b) Delimitación fuerte.
c) Delimitación modular.
d) Delimitación semifija.

14. ¿Quién propone que el mobiliario y el material deben estar preparados para despertar en el niño el interés por manipular e investigar favoreciendo su desarrollo físico, psíquico y social?

a) Piaget.
b) Montessori.

c) Rosa y Carolina Agazzi.
d) Decroly.

15. Una de las tareas del educador en la configuración de los rincones consiste en:

a) Preparar el espacio y el material de cada rincón.
b) Diseñar el tipo de actividades que se realizarán en cada uno de ellos y presentar diferentes técnicas que permitan a los niños expresarse con materiales variados.
c) Establecer algunas normas básicas sobre la utilización del material en cada rincón, el respeto al turno para la elección, la recogida del material utilizado.
d) Todas son correctas.

Solución al test n.º 25

1. d) Todas son correctas.

2. d) Influencias simbólicas.

3. b) Un espacio estático y estable.

4. a) La adaptabilidad, que se refiere a la posibilidad, de que un edificio pueda admitir cambios. Es decir, que se puedan eliminar o sumar elementos en el edificio.

5. c) Polivalencia.

6. a) Necesidad de autonomía: el espacio por tanto, debe prever la posibilidad de desarrollar comportamientos individuales pero también grupales.

7. b) 30 metros cuadrados útiles.

8. c) Dos lavabos y dos inodoros de tamaño adecuado y un cambiador.

9. a) 40 metros cuadrados.

10. a) Entrada.

11. d) Todas son correctas.

12. b) Suelo limpio de materiales de obra.

13. b) Delimitación fuerte.

14. b) Montessori.

15. d) Todas son correctas.

TEST N.º 26

La organización del tiempo. Factores y criterios para la organización temporal. Momentos relevantes de la jornada diaria. Pautas de intervención educativa

1. La organización del tiempo es un factor de gran influencia para la adquisición de hábitos y rutinas por parte de los alumnos. Respecto a la planificación del tiempo una de las siguientes es falsa:

a) Debe ser flexible.
b) Las actividades que se programen a lo largo de las jornadas escolares deben ser variables, sin ajustarse a rutinas.
c) Deberá adecuarse a los ritmos y necesidades infantiles.
d) Debe respetar los ritmos biológicos.

2. El profesional que trabaja en la Educación Infantil, planifica y secuencia su acción pedagógica globalmente en torno a tres áreas, indica cuál de las siguientes no es una de estas áreas:

a) Área de Crecimiento en Armonía.
b) Área de Hábitos Higiénicos.
c) Área de Descubrimiento y Exploración del Entorno.
d) Área de Comunicación y Representación de la Realidad.

3. A la hora de distribuir el tiempo en una jornada escolar es necesario tener en cuenta que:

a) Cuanto más pequeños son los niños, mayor es su capacidad de atención y concentración en sus tareas.
b) Los momentos menos adecuados para la comunicación son la entrada y salida, el comedor y momentos de cambio de ropa y limpieza.
c) Cuanto más pequeños sean los niños, mayor rigidez habrá que tener para que acaben interiorizando las rutinas.
d) El establecimiento de secuencias ordena la vida escolar y ayudan a interiorizar ritmos y secuencias temporales (rutinas diarias).

4. La distribución horaria debe hacerse en función de:

a) Edad de los niños y necesidades derivadas de ella.
b) Momento del curso.
c) Duración de la jornada escolar.
d) Todas son correctas.

5. Señale la afirmación correcta sobre la organización del tiempo en la educación infantil.

a) Debe planificarse de forma rígida y dirigida.
b) Cuanto más pequeños sean los niños, mayor rigidez debe haber en los horarios, pues solo así podrán adquirir los hábitos.
c) Es necesario respetar los ritmos biológicos de los niños con las alternancias que en ellos se producen a lo largo de la jornada y adecuar el tipo de actividades a estas fluctuaciones.
d) Cuanto mayores son los niños, más corta es su capacidad de atención y concentración en sus tareas.

6. ¿En qué periodo cognitivo, descrito por Piaget, empieza el niño a distinguir un ritmo temporal de los acontecimientos?

a) Sensoriomotor.
b) Operaciones concretas.
c) Intuitivo.
d) Operaciones abstractas.

7. Además de proporcionarles seguridad a los niños y niñas, les permite diferenciar de forma progresiva los distintos momentos del día y llegar a recordar, prever y anticipar lo que pasará después. Nos referimos a:

a) La distribución del aula por rincones.
b) El juego libre.
c) Las actividades de psicomotricidad.
d) Las rutinas.

8. La enseñanza y aprendizaje del tiempo en la Educación Infantil girará en torno a ciertas adquisiciones. Señala la que no corresponde al segundo ciclo de dicha etapa:

a) Adaptación de los ritmos biológicos a las secuencias de la vida cotidiana de la escuela.
b) Estimación intuitiva de la duración de ciertas rutinas de la vida cotidiana.
c) Iniciación en el uso de instrumentos de medida del tiempo.
d) Percepción de las formas del tiempo: días de la semana, ayer, hoy, mañana, etc.

9. ¿Cuál es el tiempo promedio que puede permanecer un niño de tres a cuatro años interesado y concentrado en una actividad:

a) Entre 10 y 15 minutos.
b) Entre 5 y 10 minutos.
c) Entre 3 y 6 minutos.
d) No es posible determinarlo.

10. ¿Cuál de los siguientes es un criterio correcto de organización de la jornada escolar?

a) Destinar las primeras horas a las tareas más complejas.
b) Intercalar periodos de descanso tras las actividades fatigosas física o mentalmente.
c) No prolongar demasiado las actividades para no causar fatiga.
d) Todos son criterios correctos de organización de la jornada escolar.

11. ¿Cuál de las siguientes afirmaciones sobre el tiempo es falsa?

a) Los tiempos de rutinas tienen una gran intencionalidad educativa.
b) La duración de la jornada escolar aumenta progresivamente con la edad de los niños en la EI.
c) La distribución temporal tiene en cuenta la edad y la ratio.
d) Las rutinas marcan los cambios de actividad e intervalos temporales.

12. Para adaptar las actividades a los ritmos personales cuanto más pequeños sean los niños:

a) Menor flexibilidad habrá que tener.
b) Mayor flexibilidad habrá que tener.
c) Más actividades hay que programar.
d) Menos actividades hay que programar.

13. En la distribución temporal de la jornada en el primer ciclo de educación infantil debemos tener en cuenta:

a) Cada niño/a tiene su propio ritmo de desarrollo, maduración y aprendizaje por lo que necesitan un tiempo diferente para la acción.
b) La necesidad de respetar las exigencias biológicas de descanso, higiene y alimentación, así como el tiempo de llegada, de aula, de patio, de salida... condicionarán las primeras organizaciones temporales.
c) Se debe evitar tanto la excesiva división del tiempo como la rigidez.
d) Todas son correctas.

14. ¿En qué periodo el niño piensa que el tiempo se incorpora a los hechos y cada hecho tiene su propio tiempo?

a) En el periodo sensoriomotor.
b) En el periodo intuitivo.

c) En el periodo flexible.
d) En el periodo fragmentario.

15. ¿En qué momento es más apropiado empezar trabajar con los alumnos la percepción de las formas del tiempo: días de la semana, ayer, hoy, mañana, días festivos, días laborales, las estaciones...?

a) Primer ciclo de educación infantil.
b) Segundo ciclo de educación infantil.
c) Educación primaria.
d) Son conceptos que se aprenden intuitivamente y no hay que trabajarlos en el aula.

Solución al test n.º 26

1. b) Las actividades que se programen a lo largo de las jornadas escolares deben ser variables, sin ajustarse a rutinas.

2. b) Área de Hábitos Higiénicos.

3. d) El establecimiento de secuencias ordena la vida escolar y ayudan a interiorizar ritmos y secuencias temporales (rutinas diarias).

4. d) Todas son correctas.

5. c) Es necesario respetar los ritmos biológicos de los niños con las alternancias que en ellos se producen a lo largo de la jornada y adecuar el tipo de actividades a estas fluctuaciones.

6. a) Sensoriomotor.

7. d) Las rutinas.

8. a) Adaptación de los ritmos biológicos a las secuencias de la vida cotidiana de la escuela.

9. a) Entre 10 y 15 minutos.

10. d) Todos son criterios correctos de organización de la jornada escolar.

11. b) La duración de la jornada escolar aumenta progresivamente con la edad de los niños en la EI.

12. b) Mayor flexibilidad habrá que tener.

13. d) Todas son correctas.

14. b) En el periodo intuitivo.

15. b) Segundo ciclo de educación infantil.

TEST N.º 27

Evaluación del proceso educativo. Técnicas e instrumentos de observación, análisis y registro en el primer ciclo de Educación Infantil. El expediente de la alumna o el alumno. El intercambio de información con otros profesionales y la comunicación con las familias

1. ¿Cuál de las siguientes afirmaciones sobre la evaluación es correcta?

a) La evaluación es un proceso.
b) La evaluación es un elemento integrado en el proceso educativo.
c) La evaluación es un acto riguroso y sistemático.
d) Todas lo son.

2. De acuerdo con la definición de Pérez Juste, podemos decir que la evaluación educativa implica cuatro elementos fundamentales. ¿Cuál no es uno de ellos?

a) La determinación previa del patrón o normas, de los criterios que van a orientar tanto la búsqueda de información como la valoración y la toma de decisiones.
b) Una recogida de información relativa a la realidad a evaluar.
c) La valoración propiamente dicha, que nos permite emitir un juicio sobre esa realidad.
d) La información de los resultados del proceso evaluativo.

3. ¿Cuál es la primera fase en el proceso de evaluación?

a) Toma de decisiones.
b) Recogida de información.
c) Fijación de objetivos.
d) Análisis de los resultados.

4. ¿Cómo tiene que ser la evaluación del alumnado en la etapa de Educación Infantil según el artículo 20 de la LOE?

a) Continua y global.
b) Continua e individualizada.

c) Individualizada y cuantitativa.
d) Global y cuantitativa.

5. Según el artículo 25 del Decreto 100/2022, de 29 de julio, del Consell, por el cual se establece la ordenación y el currículo de Educación Infantil todas las siguientes son características de la evaluación en educación infantil, excepto:

a) La evaluación es global y continua.
b) La evaluación es cualitativa y positiva.
c) La evaluación es opcional en el caso de los alumnos con necesidades educativas especiales.
d) La evaluación también tiene una función formativa.

6. La evaluación en educación infantil es continua en el sentido de que:

a) Considera los aprendizajes del alumnado en el conjunto de las áreas de la Educación Infantil, con la referencia común de las competencias clave y los objetivos de la etapa, teniendo en cuenta la integración de los diferentes elementos del currículo.
b) Estará sistemáticamente inmersa en el proceso de enseñanza y aprendizaje de las niñas y los niños durante todo el curso e integrada en el quehacer diario del aula.
c) Servirá para identificar las competencias y aprendizajes adquiridos, proporcionando una información constante al profesorado y, en el caso de primer ciclo, al personal educativo, así como a las familias, que contribuirá a mejorar tanto los procesos como los resultados de la intervención educativa.
d) Todas son correctas.

7. Las funciones que cumple la evaluación en el proceso de enseñanza-aprendizaje son:

a) Función homogeneizadora, formativa sumativa y orientadora.
b) Función compensadora, formativa, orientadora e integradora.
c) Función homogeneizadora, formativa, reguladora y orientadora.
d) Función formativa, orientadora, sumativa y valorativa.

8. Los momentos básicos de la evaluación son:

a) Inicial, continua y sumativa.
b) Toda la evaluación ha de ser formativa.
c) Global.
d) Inicial y final.

9. En relación con las técnicas de evaluación, ¿cuál de las siguientes NO es un instrumento propio de la Educación Infantil?

a) Análisis de sus producciones.
b) Observación sistemática del proceso de aprendizaje.

c) Controles.
d) Diarios de clase.

10. Todas las siguientes son pruebas de evaluación adecuadas para la Educación Infantil basadas en la observación directa, excepto:

a) Los diarios de clase.
b) Análisis de las producciones de los alumnos.
c) Técnicas sociométricas.
d) Grabaciones.

11. ¿Cuál de las siguientes no es una prueba de observación directa?

a) Asamblea.
b) Diario.
c) Sociograma.
d) Grabación.

12. ¿A qué tipo de evaluación corresponde la siguiente característica: "Permite la retroalimentación de un sistema"?

a) Inicial.
b) Continua.
c) Sumativa.
d) A todas las anteriores.

13. ¿Qué tipo de evaluación tiene una función de diagnóstico?

a) Inicial.
b) Continua.
c) Final.
d) Sumativa.

14. De la definición de evaluación de M.ª A. Casanova (1995), que entiende por evaluación aplicada a la enseñanza y aprendizaje "un proceso sistemático y riguroso de recogida de datos, incorporado al proceso educativo desde su comienzo, de manera que sea posible disponer de información continua y significativa para conocer la situación, formar juicios de valor con respecto a ella y tomar las decisiones adecuadas para proseguir la actividad educativa mejorándola progresivamente" se desprenden los siguientes rasgos excepto:

a) La evaluación como elemento integrado en el proceso educativo.
b) La evaluación como valoración del producto de aprendizaje.
c) La evaluación como un acto riguroso y sistemático.
d) La finalidad esencial es la recogida de información, seguida de la valoración de la misma y toma de decisiones al respecto.

15. ¿Cuál de los siguientes instrumentos no es adecuado para evaluar la psicomotricidad?

a) TGH: Test de habilidades grafomotoras.
b) Examen psicomotor de Vayer.
c) Test de la figura humana.
d) Test de Goodenough.

Solución al test n.º 27

1. d) Todas lo son.

2. d) La información de los resultados del proceso evaluativo.

3. c) Fijación de objetivos.

4. a) Continua y global.

5. c) La evaluación es opcional en el caso de los alumnos con necesidades educativas especiales.

6. b) Estará sistemáticamente inmersa en el proceso de enseñanza y aprendizaje de las niñas y los niños durante todo el curso e integrada en el quehacer diario del aula.

7. a) Función homogeneizadora, formativa sumativa y orientadora.

8. a) Inicial, continua y sumativa.

9. c) Controles.

10. b) Análisis de las producciones de los alumnos.

11. c) Sociograma.

12. b) Continua.

13. a) Inicial.

14. b) La evaluación como valoración del producto de aprendizaje.

15. d) De fiabilidad.

Cómo acceder al Curso

Escala Técnica en Gestión en Educación Infantil (B-06-01)

Test del temario

El uso de los códigos **es exclusivo de los compradores de los productos de Editorial MAD**. Cada producto posee un código único y de un solo uso. Es personal e intransferible y da acceso a servicios y contenidos adicionales. Editorial MAD se reserva el derecho de hacer cuantas comprobaciones sean necesarias para identificar al legítimo poseedor del código y dejar de dar servicio a quien haga uso fraudulento del mismo, además de emprender cuantas acciones legales estime oportunas según la legislación vigente.

Deberás acceder a:

mad.es/registro-campus

Si una vez aceptadas las condiciones de uso del Campus decides hacer uso del mismo, necesitarás del siguiente código de acceso junto con los códigos del resto de títulos que se exigen (si fuera el caso):

C1TL8IAGYU